2022 개정 교육과정을 담은

학교 자율시간
수업 이야기

대구교육대학교안동부설초등학교 교사

머리말

'배우다'의 옛말은 '배호다'입니다. '배호다'는 '어린 새가 날기 위해 날갯짓을 연습하다' 라는 뜻이며 '배호다'에서 'ㅎ' 탈락 후 '배우다'로 변형되었습니다. 어린 새가 날기 위해 날갯짓을 연습하는 것처럼 배움은 스스로 호기심을 느끼고 자신의 부족한 부분을 채우려는 의지가 담겨있어야 합니다.

자신의 삶과 연결된 주변 환경을 이해하고 이를 바탕으로 일상생활에서 발생하는 문제를 해결할 수 있는 지식과 기술을 익히고 새로운 아이디어를 창출하고 실천할 수 있는 능력을 키우는 것이 배움의 의미일 것입니다.

이 책은 학생들이 자신의 삶과 밀접한 주제를 직접 다루며 교육과정의 주체자로서 삶을 살 수 있도록 고민한 흔적의 결과물입니다. 학생들이 주도적으로 교육과정을 구상한다는 것은 학습 내용과 방법을 계획하고 실행하며 평가하는 일련의 과정에서 스스로 결정하고 책임지는 능력과 태도까지 아우른다는 뜻입니다. 그리고 무엇보다 중요한 것은 교사의 역할입니다. 교사들은 학생이 자신의 길을 탐색하며 찾아 나설 때 다양한 사례들을 제시하기도 하고, 나침반 역할도 하면서 성취하는 삶을 살 수 있도록 안내합니다. 그저 방관자로 버려두는 것이 아니라 최고의 길잡이 역할을 합니다. 이 과정에서 교사만이 그 역할을 하는 것은 아닙니다. 요리를 하기 위해서는 요리사나 부모님이 그 역할을 하기도 하고 축구, 야구, 자전거 묘기 등을 배우기 위해서는 전문가가, 불편한 부분을 개선하고 정책으로 이어지기 위해서는 관공서 공무원의 지원도 필요합니다. 학생들의 교육 환경은 학교를 벗어나 지역 사회까지 확장되며 인터넷을 타고 세계로 나아가 서로가 서로에게 배우는 장소가 되기도 합니다. 이를 연결하고 이어서 실행 가능한 것으로 끌어올리기 위해 끊임없는 피드백을 교사들은 해야 합니다.

이 책은 학생들이 스스로 배울 거리를 찾고 탐구하며 자신만의 물음표에 답을 찾아가는 경험을 통해 성장하는 과정을 담았습니다. 학교 자율성과 학생 주도성이 강화된 2022 개정 교육과정 실행력을 높일 수 있도록 기획되었으며 1학년부터 6학년까지 실제 운영 사례를 워크북 형태로 제작하였습니다. 질문과 피드백 중심의 활동 설명 자료, 예시 활동지를 제공하여 주체적으로 배움의 주인공으로 나선 학생들을 조력하는 교사들에게 좋은 지침서가 될 것입니다.

방학을 반납하고 학교에 출근하면서 함께 고민하고 즐거운 논쟁을 이어갔던 대구교육 대학교안동부설초등학교 선생님들에게 감사드리며 학교 자율시간 수업 이야기가 학교 현장에서 헤매고 계실 많은 선생님들께 도움이 되기를 바랍니다.

2023. 2. 10.
대구교육대학교 안동부설초등학교 공동저자

2022 개정 교육과정을 담은

학교 자율시간
수업 이야기

대구교육대학교안동부설초등학교 교사

2022 개정 교육과정을 담은
학교자율시간 수업 이야기

대구교육대학교안동부설초등학교 교사 저

김금순, 강연주, 권은주, 김세림, 김아람, 마경연, 박영진, 송주영
신민수, 신점순, 안창남, 정동희, 조승우, 진소라

목차

6학년
세계 탐구 기행

6학년 사회 교과와 연계해 세계 여러 기후와 식생을
공부한 뒤 더 알고 싶은 것, 더 해보고 싶은 것을 탐구합니다.

참고자료

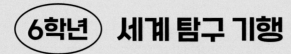

6학년 세계 탐구 기행

세계 여러 지역 사람들은 어떻게 살아가고 있을지 프로젝트를 만나기 전 주제와 관련하여 관계 맺기와 학생들의 배경지식을 점검합니다. 학생들은 세계 여러 나라의 의식주 등 다양한 문화를 조사하여 패들렛에 탑재하고 왜 그렇게 살아가고 있을지 추론해봅니다.

활동안내

1. KWH 차트로 배움 준비하기
- 세계 여러 지역 사람들이 어떻게 살아가고 있는지 탐구합니다.(의식주 등 다양한 문화)

2. 사진이나 그림을 검색하기
- 검색한 자료를 패들렛에 탑재합니다.

3. 프로젝트 안내서(GRASPS) 확인하기
- 수행과제1: '5why'로 세계 문화를 탐구합니다.
- 수행과제2: 우리나라와 가까운 나라를 선택하여 그 나라의 환경과 우리나라와의 관계를 담은 보고서 씁니다.

※ 프로젝트 안내서를 보고 탐구할 내용과 중점 핵심 질문 그리고 평가 기준을 잘 인지하여 프로젝트가 진행될 수 있도록 지도합니다.

TIP > 배경지식 활성화하기

학생들이 미리 KWH 차트에 자신이 알고 있는 배경지식을 먼저 작성한 후, 세계 여러 지역 사람들의 다양한 문화를 조사하는 것이 중요합니다. 학생들이 고유하게 가지고 있는 배경지식 수준을 점검한 후 프로젝트 안내서를 통해 과제를 파악할 수 있도록 지도합니다.

탐구질문

1. 세계 여러 지역의 사람들은 어떻게 살아가고 있나요? 왜 그렇게 살아가나요?
2. 지표상에는 어떠한 기후 특성이 나타날까요?
3. 우리와 가까운 나라는 어디인가요? 우리나라는 그 나라와 어떻게 교류하는가요?
4. 환경은 인간의 생활에 어떠한 영향을 주는가요?

1. KWH 차트를 통한 배움 준비를 해요.

주제 :

K(Know) : 무엇을 알고 있나요?
주제에 대하여 알고 있는 것을 마인드맵으로 나타내봅시다.

나의 정의 :

H(How)
: 어떤 방법으로 배우고 싶나요?

**내가 배우고 싶은 방법에 체크하기
(복수응답 가능)**

①□주제 관련 책이나 글 읽기
②□인터넷(기사, 누리집 등) 검색 및 조사
③□글쓰기
④□토의, 토론
⑤□비주얼 씽킹, 마인드맵 그리기
⑥□주제 관련 영상, 사진 자료 보기
⑦□지도 활용하기
⑧□또래 선생님이 되어 친구에게 설명하기
⑨□실생활 사례 취재, 전문가 인터뷰
⑩□선생님의 설명 듣기
⑪□교과서 읽고 이해하기
⑫기타(　　　　　　　　　　　　)

W(Want to know)
: 무엇을 더 알고 싶나요?

2. 프로젝트 안내서(GRASPS)

<지리의 눈으로 만나는 세계> -프로젝트: 세계 탐구 기행-

프로젝트 [세계 탐구 기행]에서 우리는 여행가가 되어 환경과 인간의 관계, 지역과 지역의 관계를 지리의 눈으로 탐구하는 것이 목표입니다.
이를 위해 먼저, 세계 주요 기후의 특징을 알고, 환경과 인간의 관계를 탐구합니다. 또한 가깝다는 것이 무엇인지 고민해보고, 우리나라와 가까운 나라에 대해 탐색합니다.

 프로젝트는 1달 동안 진행되며, 아래와 같이 2개의 수행과제로 여러분의 배움을 확인합니다.

[수행과제1] 5why로 세계 문화 탐구하기
[수행과제2] 우리나라와 가까운 나라를 선택하여 그 나라의 환경과 우리나라와의 관계를 담은 보고서 쓰기

[수행과제 1]은 2학기 Self Study로서 각자 탐구한 결과물을 러닝 페어로 6학년 전체 친구들과 나눌 예정이며 [수행과제 2]는 학급 친구와 선생님께 발표한 뒤 복도에 전시할 예정입니다.
시즌·프로젝트를 통해 인간의 생활 모습에 영향을 주는 것들이 무엇인지 탐구하고, 인간이 환경 및 다른 지역과 어떻게 상호작용하는지 이해하는 기회가 되길 바랍니다.

프로젝트를 통해 탐구할 질문과 평가 내용은 다음과 같습니다.

1. 탐구질문

① 세계 여러 지역의 사람들은 어떻게 살아가고 있는가요? 왜 그렇게 살아가는가요?
② 지표상에는 어떠한 기후 특성이 나타나는가요?
③ 우리와 가까운 나라는 어디인가요? 우리나라는 그 나라와 어떻게 교류하는가요?
④ 환경은 인간의 생활에 어떠한 영향을 주는가요?

2. 평가기준

	평가 내용	A	B	C
지식	**지필 및 관찰** 세계 주요 기후의 분포와 특성을 설명할 수 있는가?	기후 자료를 바르게 해석하여 세계 주요 기후의 분포를 정확하게 표현하고, 세계 주요 기후의 특성을 정확하게 설명한다.	기후 자료를 해석하여 세계 주요 기후의 분포를 대략적으로 표현하고, 세계 주요 기후의 특성을 대부분 정확하게 설명한다.	기후 자료 중 일부를 해석하여 세계 주요 기후의 분포를 표현하는 활동에 참여한다.
	서술 및 관찰 환경과 인간 생활 간의 관계를 설명할 수 있는가?	환경과 인간 생활 간의 관계를 바르게 이해하여 설명할 수 있고, 그 예시를 3가지 이상 제시한다.	환경과 인간 생활 간의 관계를 대략적으로 설명할 수 있고, 그 예시를 1~2가지 제시한다.	환경과 인간 생활 간의 관계를 부정확하게 설명한다.
기능	**수행과제1, 관찰** 인간 생활에 영향을 미치는 자연적, 인문적 요인을 탐구할 수 있는가?	의식주 생활에 특색이 있는 나라나 지역의 사례를 조사하고, 이를 바탕으로 하여 인간 생활에 영향을 미치는 여러 자연적, 인문적 요인을 논리적으로 설명한다.	의식주 생활에 특색이 있는 나라나 지역의 사례를 바탕으로 하여 인간 생활에 영향을 미치는 자연적, 인문적 요인을 1~2가지 찾는다.	의식주 생활에 특색이 있는 나라나 지역이 사례를 조사하는 활동에 참여한다.
	수행과제2, 관찰 우리나라와 관계 깊은 나라들의 지리 정보와 교류 현황을 조사하여 발표할 수 있는가?	우리나라와 관계 깊은 나라의 기초적인 지리 정보를 조사하고, 정치·경제·문화면에서 맺고 있는 상호 의존 관계를 사례를 통해 설명한다.	우리나라와 관계 깊은 나라의 기초적인 지리 정보를 조사하고, 상호 의존 관계를 대략적으로 파악한다.	우리나라와 관계 깊은 나라들의 기초적인 지리 정보를 조사하여 제시한다.
태도	**배움성장노트, 자기평가, 관찰** 프로젝트 탐구 활동에 적극적으로 참여하는가?	환경과 인간, 지역과 지역의 관계에 높은 관심을 갖고 탐구 활동에 적극적으로 참여한다.	환경과 인간, 지역과 지역의 관계를 탐구하는 활동에 참여한다.	탐구 활동에 소극적으로 참여한다.

1단계에서 학습을 바탕으로 써야할 내용들을 자신이 아는 만큼 솔직히 작성하면 됩니다. 학생들이 작성한 아래 글은 프로젝트 마무리 시간에 같은 주제로 다시 평가가 진행되며, 학생들이 얼마나 깊은 탐구를 했는지 알게 되었는지 비교해 볼 수 있습니다.

활동 안내

1. 배움 전 생각 쓰기하기(아래 참조 사진)

2. 설명하는 글 작성하기
- 기후의 의미와 종류에 대해 설명하는 글을 작성합니다.

3. 내가 알고 있는 사례 작성하기
- 다른 나라 사람들의 생활 모습(의식주 등) 중 내가 알고 있는 사례에 대해 작성합니다.

4. 우리나라와 관계 깊은 나라 탐색하기
- 마지막으로 우리나라와 관계가 깊은 나라는 어디이며, 그렇게 생각하는 이유에 대해 써봅니다.

<참조 사진-KWL차트 중 K>

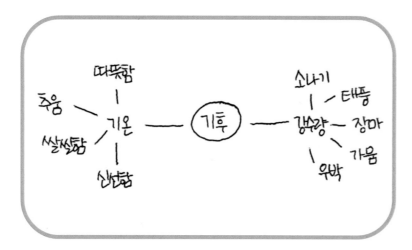

탐구질문
1. 기후는 무엇이며, 어떤 기후가 있을까요?
2. 다른 나라 사람들의 생활 모습(의식주 등) 중 내가 알고 있는 것은 무엇이 있는가요?
3. 우리나라와 관계가 깊은 나라는 어디이며, 왜 그렇게 생각하나요?

1. 배움 전 생각을 써봅시다.

<지리의 눈으로 만나는 세계> -프로젝트 시즌 : 세계 탐구 기행-

탐구 질문에 대한 배움 전 여러분의 생각은 어떤가요? 다음 조건을 생각하며, 글을 써봅시다. 아직 배우지 않았으나, 지난 배움을 바탕으로 자신의 생각을 솔직히 적으면 됩니다. 여러분이 쓴 글은 프로젝트 마무리 시간에 같은 주제로 다시 평가할 예정이며, 여러분이 얼마나 깊이 탐구했고 알게 되었는지 비교해 볼 수 있습니다.

<글 속에 있어야 할 내용>
①☐기후의 의미와 종류 설명하기
②☐다른 나라 사람들의 생활 모습(의식주 등) 중 내가 알고 있는 사례 설명하기
③☐우리나라와 관계가 깊은 나라는 어디이며, 그렇게 생각하는 이유 쓰기

1. 기후는 무엇이며, 어떤 기후가 있을까요?
①기후의 의미:
②기후의 종류:

2. 다른 나라 사람들의 생활 모습(의식주 등) 중 내가 알고 있는 것은 무엇이 있는가요?
예시) 나라 이름: 생활 모습 설명하기
①
②
③

3. 우리나라와 관계가 깊은 나라는 어디이며, 왜 그렇게 생각하나요?

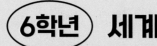 세계 탐구 기행

3단계에서는 먼저 학생들이 사진을 보고 어떤 기후적 특성인지 추론해봅니다. 그 후 다양한 기상현상과 관련된 사례를 보고 기후와 관련된 내용인 것과 아닌 것의 구별을 통해 기후의 의미, 요소 그리고 속성을 이해합니다.

활동안내

1. 생각 열기
- 제시된 사진 하나를 보고, 학생들의 생각을 열도록 합니다.

2. 질문하기
- 사진 속에 무엇이 보이는지, 어디에서 주로 볼 수 있는 장면인지 질문합니다.

3. 기후 특징 추론하기
- 사진 속에서 본 내용을 바탕으로 관련 기후의 특징을 추론해봅니다.

4. 문제해결하기
- 제시된 기상 현상의 내용을 보고 제시된 학습지의 문제를 해결하도록 합니다.

TIP 〉학생들의 탐구 몰입도 높이는 방법

사진을 통한 학생들의 생각 열기 없이 바로 학습지를 통한 개별 탐구를 실시하게 되면 기상 현상에 대한 이해 부족으로 탐구에 몰입하기 어려울 수 있습니다. 학생 개별 탐구를 실시하기 전, 교사가 제시한 사진을 함께 연습하면서 탐구 방법에 대한 이해도를 높이도록 하는 것이 중요합니다.

탐구질문

1. 사진 속에 무엇이 보이나요?
2. 어디에서 볼 수 있는 장면인가요?
3. 이런 식물이 자랄 수 있는 기후의 특징은 무엇인가요?

1. 기상 현상과 관련된 내용을 보고 기후 개념을 파악해봅시다.

※ 다음은 기상 현상과 관련된 내용입니다. 다음을 읽고 물음에 답해 봅시다.

> ① 대한민국은 해마다 봄, 여름, 가을, 겨울의 4계절이 나타난다.
> ② 오늘 아침은 하늘에 구름이 많아 흐리다.
> ③ 어제 오후 4시에 북동풍이 초속 1m로 불었다.
> ④ 여름에는 바다에서 습한 남동풍이 불고, 겨울에는 대륙에서 건조한 북서풍이 분다.
> ⑤ 콩고민주공화국의 키상가니는 일년내내 기온이 20℃ 이상이며, 매달 비가 많이 온다.
> ⑥ 오늘은 비가 올 가능성이 0%이다.
> ⑦ 아프리카 기니의 코나크리라는 도시는 5월부터 11월까지 많은 비가 내리는 우기이고, 나머지 기간에는 비가 거의 내리지 않는 건기이다.
> ⑧ 사우디아라비아의 리야드는 1년 강수량을 모두 합해도 250mm가 되지 않는 사막이다.
> ⑨ 남극은 가장 따뜻한 달(최난월)의 평균 기온이 -5℃이고, 가장 추운 달(최한월)의 평균 기온이 -25℃ 정도이다.

1. 기후와 관련된 내용은 무엇인지 위에서 모두 골라 번호를 쓰세요.

나의 생각
수업 후 결론

2 기후와 관련된 현상은 어떤 공통된 특성이 있을까요?

나의 생각
수업 후 결론

3. 기후는 무엇일까요?

나의 생각
수업 후 결론

4. 기후를 구성하고 있는 요소는 무엇이 있을까요? (기후요소 : 기후를 나타내는 기준)

①
②
③

이 학습을 통해 학생들이 기후의 종류를 아는 것도 중요하지만, 사진 분류 활동을 통해 학생들이 각 기후의 특징(기온, 강수량 등)을 파악하는 것이 중점 과제라는 것을 인지하도록 합니다.

6학년 세계 탐구 기행

세계 여러 지역에서 볼 수 있는 식생 사진을 보고 어떤 기후(건조 기후, 열대 기후, 냉대 기후, 온대 기후, 한대 기후 등)에서 자랄 수 있는지 추론해봅니다. 제시된 8가지 사진을 보고 해당 사진의 기온과 강수량의 특징을 추론해봅니다.

활동안내

1. 식생 사진을 통한 기후 추론하기
세계 여러 지역에서 볼 수 있는 식물 및 자연의 모습의 사진을 통해 기후를 추론하여 기온 및 강수량의 해당 부분에 체크 표시합니다.

2. 사진 선별하기
위 활동을 한 후 식물이 자랄 수 있을 것 같은 사진을 선별해봅니다.

3. 세계 다양한 기후 나누기
이러한 일련의 과정을 거친 후 세계에는 어떤 기후가 있는지 나눠 봅니다.

탐구질문

1. 어떤 기후에서 식물이 자랄 수 있을까?
2. 세계 여러 지역은 어떤 기후의 특징이 있을까?

〈참고자료〉

Donald J. Trump
"In the beautiful Midwest, windchill
temperatures are reaching minus 60 degrees, the coldest ever recorded.
In coming days,exptected to get even colder.
People can't last outside even for minutes. What the hell is going on with
Global Waaming? Please come back fast, we need you!"
-twitter, 2019. 1. 28.

"아름다운 중서부지역에 역대 가장 최저기온인 영하 60도의 체감 한파가 몰아친다.
더 추워질 예정이라고 한다"고 밝혔다. 이어 "사람들은 밖에서 몇 분도 버티기
힘들 정도다. 지구온난화는 어찌 된거냐?
제발 빨리 돌아와라. 지금 필요하다!"

1. 어떤 기후에서 식물이 자랄 수 있는지 추론해봅시다. [QR코드 참고]

※ 다음은 세계 여러 지역에서 볼 수 있는 식물 및 자연의 모습입니다.
사진 속 식물이 자랄 수 있는 기후를 추론하여 해당하는 부분에 ☑표시를 합니다.

	기온	높다 □ 보통 □ 낮다 □		기온	높다 □ 보통 □ 낮다 □
	강수량	높다 □ 보통 □ 낮다 □		강수량	높다 □ 보통 □ 낮다 □
	기온	높다 □ 보통 □ 낮다 □		기온	높다 □ 보통 □ 낮다 □
	강수량	높다 □ 보통 □ 낮다 □		강수량	높다 □ 보통 □ 낮다 □
	기온	높다 □ 보통 □ 낮다 □		기온	높다 □ 보통 □ 낮다 □
	강수량	높다 □ 보통 □ 낮다 □		강수량	높다 □ 보통 □ 낮다 □
	기온	높나 □ 보통 □ 낮다 □		기온	높다 □ 보통 □ 낮다 □
	강수량	높다 □ 보통 □ 낮다 □		강수량	높다 □ 보통 □ 낮다 □

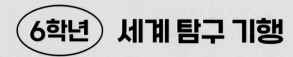

(6학년) 세계 탐구 기행

앞선 활동에서 기후의 의미와 식물이 자랄 수 있는 기후 추론을 통해 기온과 강수량의 특징을 알아보았습니다. 이번 수업에서는 쾨펜의 기후 구분을 기준으로 기후를 분류하고 세계 기후 지도를 만들어 봅니다.

활동안내

1. 기후 분류 및 기후 지도 만들기 (QR코드 참고)

- 세계 여러 지역 38곳의 최난월 평균 기온과 최한월 평균 기온 데이터를 쾨펜 기후 구분을 기준으로 기후를 분류하고 세계 기후 지도를 만듭니다.

2. 기후 패턴 분석 및 기후 분포 특징 일반화하기

- 세계 기후 지도를 보고 패턴을 분석합니다.
- 기후에 영향을 미치는 요인(위도)을 이해하고 세계 기후 분포의 특징을 일반화합니다.

3. 기후 요인 탐색하기

- 에콰도르 '키토'의 기후적 특성을 알아보고 기후에 영향을 미치는 요인(해발고도)을 추가적으로 이해합니다.

4. 기후 구분도 정리하기

- 쾨펜의 기후 구분을 정리합니다.

TIP › 학생들의 탐구 몰입도 높이는 방법

이 수업을 통해 세계 여러 기후에 영향을 미치는 요인에는 위도뿐만 아니라 다양한 요인(해발고도, 해수면, 격해도 등)이 있다는 것을 알도록 지도합니다. 이를 통해 세계 지도의 분포를 보고 어떤 패턴이 있는지 학생들이 탐구하도록 안내합니다.

탐구질문

1. 세계에는 어떤 기후가 있을까요?
2. 세계의 기후 분포는 어떤 패턴을 보이나요?

〈참고자료〉

최한월 기온 18°	이상△	열대기후	빨간 스티커
	이하▽	온대기후	노란색 스티커
최한월 기온 -3°	이상△		
	이하▽	냉대기후	녹색 스티커
최난월 기온 10°	이상△		
	이하▽	한대기후	파란색 스티커
1년 강수량 500mm 이하		건조기후	흰색 스티커(사막)

1. 쾨펜의 기준에 따른 세계 기후 데이터를 분석해봅시다. (QR코드 참고)

세계 기후 지도 만들기 (　　)모둠					
나라	도시 또는 지역	최난월 평균 기온	최한월 평균 기온	기후	맡은 사람
콩고	키상가니	25	24		함께 해결
중국	칭다오	28	0		
러시아	하바롭스크	20	-20		
남극	남극	-5	-25		
중국	홍콩	32	14		
스리랑카	콜롬보	32	23		
파푸아뉴기니	포트모르즈비	31	24		
미국	뉴욕	29	-2		
싱가포르	싱가포르	32	25		
일본	도쿄	31	2		
중국	베이징	31	-8		
인도	뉴델리	40	8		
터키	이스탄불	32	-2		
이탈리아	밀라노	30	-1		
프랑스	파리	25	2		
스페인	마드리드	33	0		
벨라루스	민스크	24	-8		
러시아	모스크바	24	-11		
미국	앵커리지	20	-11		
그린란드	누크	9	-11		
캐나다	뱅크스 섬	9	-35		
러시아	북시베리아	7	-36		
아르헨티나	부에노스아이레스	28	8		
브라질	리우데자네이루	31	18		
브라질	벨렘(아마존강)	32	24		
파나마	파나마시티	32	24		
미국	로스엔젤레스	29	9		
캐나다	밴쿠버	23	2		
러시아	노보시비르스크	24	-21		
노르웨이	오슬로	21	-7		
코트디부아르	야무수크로	32	19		
남아프리카 공화국	케이프타운	25	9		
앙골라	루안다	30	19		
호주	시드니	27	8		
영국	포클랜드 제도	15	1		
소말리아	모가디슈	32	24		
뉴질랜드	웰링턴	24	7		
베트남	호치민	34	22		

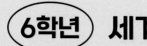 **세계 탐구 기행**

기온강수그래프를 보고, 지난 시간에 배운 쾨펜 기후 구분을 기준으로 각 그래프가 나타나는 지역이 어떤 기후에 속하는지 추론합니다. 이 수업을 통해 그래프를 읽고 해석하는 능력을 기르고, 같은 기후 범주에 들어가더라도 다양한 기후적 특성이 나타난다는 것을 이해할 수 있습니다.

활동안내

1. 다양한 온대기후 탐구하기
우리나라와 같은 온대계절풍기후, 여름에 강수량이 적은 지중해성기후, 연중 강수량이 비슷한 서안해양성기후 등 3가지 종류의 온대기후를 탐구합니다.

2. 다양한 열대기후 탐구하기
일년내내 비가 많이 내리고 더운 열대우림기후, 우기와 건기가 나타나는 사바나기후 등 2가지 종류의 열대기후를 탐구합니다.

3. 다양한 건조기후 탐구하기
비가 거의 내리지 않는 사막기후, 강수량이 적지만 풀이 자랄 수 있는 스텝기후 등 2가지 종류의 건조기후를 탐구합니다.

TIP > 그래프 분석과 연계할 수 있는 활동
· 기후의 다양성을 이해하기 위한 활동이므로 모든 기후를 분석할 필요는 없으나 교실 맥락에 따라 한대기후를 추가하여 탐구할 수 있습니다.
· 기온강수그래프를 분석한 뒤 디지털 지도나 영상 자료를 통해 실제 해당 지역의 기후를 간접적으로 경험할 수 있으면 학생들의 이해에 도움이 됩니다.

탐구질문
1. 기온과 강수량의 특징은 어떤가요?
2. 어떤 기후일까요?
3. 런던의 기후는 서울과 같을까요?
4. 세계에서 가장 넓은 사막은 어디일까요?

1. 기온강수그래프를 분석하여 어떤 기후인지 추론해봅시다.

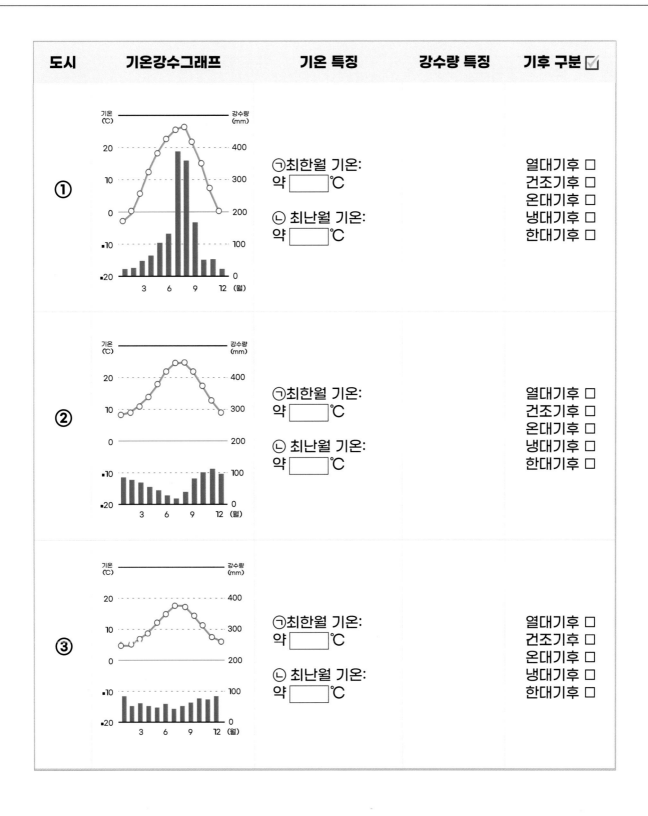

도시	기온강수그래프	기온 특징	강수량 특징	기후 구분 ☑
①		㉠최한월 기온: 약 ☐℃ ㉡ 최난월 기온: 약 ☐℃		열대기후 ☐ 건조기후 ☐ 온대기후 ☐ 냉대기후 ☐ 한대기후 ☐
②		㉠최한월 기온: 약 ☐℃ ㉡ 최난월 기온: 약 ☐℃		열대기후 ☐ 건조기후 ☐ 온대기후 ☐ 냉대기후 ☐ 한대기후 ☐
③		㉠최한월 기온: 약 ☐℃ ㉡ 최난월 기온: 약 ☐℃		열대기후 ☐ 건조기후 ☐ 온대기후 ☐ 냉대기후 ☐ 한대기후 ☐

2. 기온강수그래프를 분석하여 어떤 기후인지 추론해봅시다.

도시	기온강수그래프	기온 특징	강수량 특징	기후 구분 ☑
①		㉠최한월 기온: 약 ◻️ ℃ ㉡ 최난월 기온: 약 ◻️ ℃		열대기후 ☐ 건조기후 ☐ 온대기후 ☐ 냉대기후 ☐ 한대기후 ☐
②		㉠최한월 기온: 약 ◻️ ℃ ㉡ 최난월 기온: 약 ◻️ ℃		열대기후 ☐ 건조기후 ☐ 온대기후 ☐ 냉대기후 ☐ 한대기후 ☐
	( )기후		( )기후	

3. 기온강수그래프를 분석하여 어떤 기후인지 추론해봅시다.

도시	기온강수그래프	기온 특징	강수량 특징	기후 구분 ☑
①		㉠최한월 기온: 약 ☐ ℃ ㉡ 최난월 기온: 약 ☐ ℃		열대기후 ☐ 건조기후 ☐ 온대기후 ☐ 냉대기후 ☐ 한대기후 ☐
②		㉠최한월 기온: 약 ☐ ℃ ㉡ 최난월 기온: 약 ☐ ℃		열대기후 ☐ 건조기후 ☐ 온대기후 ☐ 냉대기후 ☐ 한대기후 ☐
	( )기후		( )기후	

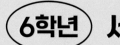 세계 탐구 기행

기후의 종류와 특성에 대한 이해를 바탕으로 각 기후에 살고 있는 사람들의 생활 모습을 추론합니다. 이 수업을 통해 인간이 기후에 적응하거나 극복하는 과정에서 장소에 따라 다양한 문화를 형성한다는 것을 이해할 수 있습니다.

활동안내

1. 기후에 따른 의식주 문화 추론하기

- 모둠 친구들과 15장의 사진을 함께 보고 어떤 기후의 문화인지, 그렇게 생각한 까닭은 무엇인지 토론한 뒤 사진을 기후별로 분류하여 붙이고 기후의 종류를 적습니다.
- 모둠별로 완성한 활동지를 다른 모둠과 공유하며 서로 비교하면서 질문합니다.
- 추론 결과를 선생님과 함께 확인하며 기후별 사람들의 생활 모습을 이해합니다.

TIP 〉 수업 몰입도를 높이는 방법

자료 없이 각 기후의 사람들의 생활 모습을 추측하여 공유한 뒤에 본 수업을 하면 수업에 대한 학생의 몰입도를 높이는 데에 도움이 됩니다.

2. 개념과 개념간의 관계를 일반화 문장으로 구성하기

- 인간과 기후 등 배운 개념을 연결하여 각자 일반화 문장으로 구성하고 공유합니다.
- 각자 공유한 문장에서 공통적인 부분을 모아 우리 반의 일반화 문장을 구성합니다.

TIP 〉 인간과 기후의 관계에 대한 일반화 구성하기

기후별 생활모습을 피상적으로 외우기보다는 본 수업을 통해 인간과 기후의 관계에 대하여 각자의 일반화를 구성할 수 있도록 도와주세요.

<실제 학생이 구성한 일반화 목록 중 일부>
- 각 나라의 기후에 따라 인간의 생활 모습과 문화 등이 달라진다.
- 인간은 기후에 적응해서 생활한다.
- 인간은 다양한 기후에 적응하므로 여러 가지 문화가 나타난다.

탐구질문

1. 각 기후의 사람들은 어떻게 살아갈까요?
2. 어떤 기후의 문화일까요? 그렇게 생각한 이유는 무엇인가요?
3. 기후와 인간 생활은 어떤 관계가 있나요?

1. 기후가 분포하는 위치, 기후의 특성을 정리하고 기후에 따른 의식주 문화를 추론해 봅시다.

		(　　)기후	(　　)기후	(　　)기후	(　　)기후	(　　)기후
위치						
기후 특성						
의식주	① (사진 붙이는 곳)	①	①	①	①	
	문화 이름					
	문화에 대한 설명을 쓰는 부분					
	② (사진 붙이는 곳)	②	②	②	②	
	문화 이름					
	문화에 대한 설명을 쓰는 부분					
	③ (사진 붙이는 곳)	③	③	③	③	
	문화 이름					
	문화에 대한 설명을 쓰는 부분					

2. 오늘 배움을 통해 알게 된 개념을 연결하여 일반화 문장을 적어봅시다.

(6학년) 세계 탐구 기행

지난 시간에 다양한 문화를 기후와 연결하여 추론하는 과정에서 인간과 기후의 관계에 대한 일반화를 구성하였습니다. 이번 수업에서는 세계의 여러 문화 중 하나를 선택하여 개별 탐구를 하기 전 아래 주제로 5WHY를 연습해 봅니다.
① 왜 유럽 사람들은 감기에 걸리면 뱅쇼를 먹을까?
② 왜 사우디아라비아 사람들은 둥근 모양의 초록땅을 만들었을까?
이 수업을 통해 탐구 절차를 이해하고, 탐구 관점을 명확하게 이해할 수 있습니다.

활동안내

1. 유럽의 뱅쇼 문화를 통해 탐구 방법 이해하기

개별 탐구 전 교사의 앵커링 자료를 함께 보며 유럽의 뱅쇼 문화를 분석해 봅니다. 교사의 앵커링 자료는 학생이 발표 계획을 세우는 데에 도움이 됩니다. 활동 전에 실제로 뱅쇼를 만들어 먹어보는 경험을 한다면 다른 나라 문화에 대한 이해도와 탐구에 대한 몰입도를 높일 수 있습니다.

2. 사우디아라비아의 원형 농장 탐구하기

두 번째 5WHY연습은 워크지를 통해 사우디아라비아의 원형 농장에 대해 분석하는 것입니다.
이 수업이 끝난 뒤, 자신이 스스로 정한 주제를 탐구하게 됩니다.

TIP > 학생 개별 탐구를 돕는 방법

연습 기회 없이 바로 개별 탐구를 실시하게 되면 절차에 대한 시행착오로 인해 탐구에 몰입하기 어려울 수 있습니다. 학생 개별 탐구를 실시하기 전, 교사가 제시한 주제를 함께 연습하면서 탐구 방법에 대한 이해도를 높이고, 자신이 어떤 주제로 탐구할지 생각해 볼 수 있는 시간적 여유를 제공해 주면 좋습니다.

탐구질문

1. 어떤 과정으로 탐구할 수 있을까요?
2. 이 지역의 문화는 기후와 어떤 관계가 있을까요?

1. 왜 유럽 사람들은 감기에 걸리면 뱅쇼를 먹을까요?

왜 유럽 사람들은 감기에 걸리면 뱅쇼를 먹을까?
세계 여러 나라 사람들의 생활 양식 탐구하기

뱅쇼 vin chaud

1. 왜 유럽 사람들은 감기에 걸리면 뱅쇼를 먹을까?

뱅(vin)은 '와인',
쇼(chaud)는 '따뜻한'
이라는 뜻

➡ 뱅쇼에 들어가는 재료인 오렌지, 와인, 계피에 비타민c, 구연산, 타닌, 카테킨 등 영양소가 많아서

2. 왜 오렌지, 와인으로 뱅쇼를 만들었을까?

➡ 유럽에서 오렌지, 와인을 쉽게 구할 수 있어서

3. 왜 와인을 쉽게 구할 수 있을까?

➡ 이탈리아, 프랑스, 스페인 등에서 와인의 재료인 포도가 많이 생산되어서

4. 왜 이탈리아에서는 포도가 많이 생산될까?

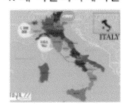

<포도재배의 최적 기후조건>
연평균 기온이 13℃인 온화한 기후, 풍부한 일조량, 연500~600mm 정도의 충분한 습도, 안개, 배수가 잘 되는 토양에서 포도가 잘 자란다.

➡ 포도 재배에 적합한 기후라서

5. 왜 포도 생산에 적합한 기후인가?

➡ 이탈리아는 지중해와 접하고 있다. 겨울에는 온난한 우기이고, 여름에는 맑은 날씨가 계속되는 건기이다. 이것을 온대 기후 중 지중해성 기후라고 하는데, 포도는 이러한 지중해성 기후에서 잘 자랄 수 있기 때문이다.

2. 세계 여러 지역의 사람들은 어떻게 살아가고 있나요? 왜 그렇게 살아가나요? 수행과제를 만들기 전 선생님과 함께 5Why를 연습해 봅시다.

<수행과제 평가 기준>
① 환경과 인간 생활 간의 관계를 논리적으로 설명할 수 있나요?
② 환경과 인간의 관계를 3Why 이상으로 표현하였나요?
③ 사진, 그래프 등 다양한 매체를 이용하여 이해하기 쉽게 설명하였나요?
④ 출처를 명확하게 나타내었나요?

탐구할 나라	
탐구할 문화	
5Why	[1Why] ☞ [2Why] ☞ [3Why] ☞ [4Why] ☞ [5Why] ☞
결론	

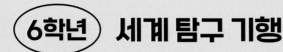

6학년 세계 탐구 기행

인간과 환경의 관계에 대한 일반화를 증명하기 위하여 세계의 다양한 문화 중 하나를 선택하여 탐구 주제를 정합니다. 5WHY기법을 사용하여 왜 그러한 문화가 나타났는지 꼬리에 꼬리를 무는 개별 탐구를 실시한 뒤, 발표 자료를 만들어 친구들과 공유합니다. 이 수업을 통해 세계의 많은 문화가 기후와 밀접한 관련이 있다는 것을 이해할 수 있습니다.

활동안내

1. 나만의 주제를 정하여 5WHY로 탐구하기

지난 수업에서 연습한 것을 바탕으로 하여 나만의 주제를 정하여 문화를 분석합니다. 개별 탐구 전, 워크지에 평가기준을 함께 제시하여 자신의 탐구 과정을 성찰할 수 있도록 돕습니다. 학생이 제작한 발표자료는 공유 드라이브 등을 통해 학급의 모든 학생들이 볼 수 있도록 할 수 있습니다.

TIP > 학생 탐구 주제 목록 예시

· 왜 마다가스카르 사람들은 입가심으로 숭늉을 마실까?
· 왜 중국인들은 음식을 먹은 후 차를 마실까?
· 러시아는 왜 샤프카라는 털모자를 쓸까?
· 몽골인은 왜 시력이 좋을까?

TIP > 학생 개별 탐구 과정에서 피드백 방법

학생 개별 탐구 과정에서는 학생 맞춤형 피드백이 무엇보다 중요합니다. 기후가 아닌 다른 요인으로 인하여 형성된 문화를 탐구 주제로 선택한 학생이 있을 경우에는 문화 형성의 요인이 기후가 맞는지 점검할 수 있도록 도와주세요. 또한 학생의 상황에 따라 3WHY까지 탐구를 실시할 수 있습니다.

2. 탐구 결과 발표 및 자기 및 동료 평가하기

친구의 탐구 결과를 그냥 듣기보다는 자기·동료 평가지를 통해 성찰 및 피드백하게 되면 친구의 탐구 내용에 집중하는 데에 도움이 됩니다.

탐구질문

1. 세계 여러 지역의 사람들은 어떻게 살아가고 있을까요? 왜 그렇게 살아갈까요?
2. 이 지역의 문화는 기후와 어떤 관계가 있을까요?

1. 세계 여러 지역의 사람들은 어떻게 살아가고 있나요? 왜 그렇게 살아가나요? 각자 1개의 주제를 선택하여 5why로 환경과 인간의 관계를 탐구해봅시다.

<수행과제 평가 기준>
① 환경과 인간 생활 간의 관계를 논리적으로 설명할 수 있나요?
② 환경과 인간의 관계를 3Why 이상으로 표현하였나요?
③ 사진, 그래프 등 다양한 매체를 이용하여 이해하기 쉽게 설명하였나요?
④ 출처를 명확하게 나타내었나요?

탐구할 나라	
탐구할 문화	
5Why	[1Why] ☞ [2Why] ☞ [3Why] ☞ [4Why] ☞ [5Why] ☞
결론	

2. 친구들과 돌아가며 각자의 수행과제를 발표해 봅시다.
발표를 들으며 나와 친구의 수행과제를 평가해 봅시다.

이름 〳 기준	환경과 인간 생활 간의 관계를 논리적으로 설명할 수 있나요?			환경과 인간의 관계를 3Why 이상으로 표현하였나요?			사진, 그래프 등 다양한 매체를 이용하여 이해하기 쉽게 설명하였나요?			출처를 명확하게 나타내었나요?		
	A	B	C	A	B	C	A	B	C	A	B	C
	A	B	C	A	B	C	A	B	C	A	B	C
	A	B	C	A	B	C	A	B	C	A	B	C
	A	B	C	A	B	C	A	B	C	A	B	C
우리 모둠 최고의 수행과제												
	A	B	C	A	B	C	A	B	C	A	B	C
	A	B	C	A	B	C	A	B	C	A	B	C
	A	B	C	A	B	C	A	B	C	A	B	C
	A	B	C	A	B	C	A	B	C	A	B	C
	A	B	C	A	B	C	A	B	C	A	B	C
	A	B	C	A	B	C	A	B	C	A	B	C
우리 반 최고의 수행과제												

모든 친구의 발표에 관심을 갖고 경청하였나요?	A	B	C

6학년 세계 탐구 기행

특정 문화의 형성은 기후적 요인만으로 설명하기 어렵습니다. 기후라는 관점에서만 세계 여러 문화를 탐구한다면 문화에 대한 편협한 시각을 형성할 수도 있습니다. 이 수업은 기후라는 관점에서 문화를 바라보는 것을 넘어, 역사, 종교 등 다른 관점에서 문화를 바라볼 수 있도록 도와줍니다.

활동안내

1. 다른 관점에서 문화 바라보기

- 첫째 문화는 뉴질랜드, 호주, 인도 등에서 인기 있는 스포츠 중 하나인 크리켓을 하는 모습입니다. 크리켓을 즐겨하는 지역은 기후적 공통점이 적은 대신, 대영제국에 속했다는 역사적 공통점이 있습니다. 이렇게 문화는 나라 간 관계 및 역사의 영향을 받는다는 것을 알 수 있습니다.
- 두 번째 문화는 무슬림이 모스크에서 기도를 드리는 모습입니다. 이 문화는 이슬람이라는 종교의 영향을 받아 형성되었습니다.
- 세 번째 문화는 표지판에 중국의 한자를 함께 표기하는 모습입니다. 이 또한 기후로 인하여 문화가 형성되었다기 보다는, 중국과 지리적으로 가까워 형성된 문화라고 볼 수 있습니다.

2. 일반화 문장 정교화하기

- 지금까지 배움을 통해 문화는 기후, 나라 간 관계, 역사, 종교, 지리적 위치 등의 영향을 받아 형성된다는 일반화를 구성할 수 있습니다.

탐구질문

Q. 이 지역의 문화는 무엇의 영향을 받았을까요?
Q. 무엇이 인간의 삶에 영향을 줄까요?

1. 다음은 세계 여러 나라 문화 중 일부입니다. 무엇이 이러한 문화 형성에 영향을 주었을까요?

순	문화	해당 나라 및 문화에 영향을 준 요소	
①	크리켓 경기 사진	나라	
		문화 설명	
		문화 형성 요인	
②	모스크 예배 사진	나라	
		문화 설명	
		문화 형성 요인	
③	대한민국, 중국, 일본 표지판 사진	나라	
		문화 설명	
		문화 형성 요인	

2. 오늘 배움을 통해 무엇이 인간의 삶에 영향을 주는지 알게된 것을 일반화 문장으로 적어봅시다.

5학년
생물이 가득가득

5학년 과학 교과와 연계해 동물도 식물도 아닌
다양한 생물(균류, 세균, 원생생물)을 공부한 뒤
더 알고 싶은 것, 더 해보고 싶은 것을 탐구합니다.

참고 자료

5학년 생물이 가득가득

과학 시간에 동물도 식물도 아닌 다양한 생물(균류, 세균, 원생생물)에 대해 공부했습니다. 이와 관련해 더 알고 싶은 것, 더 해 보고 싶은 탐구 주제를 선정합니다. 학생들이 즐겁게 시작하도록 어떤 주제든 허용하는 등 격려가 필요합니다.

활동안내

1. 배운 내용 중 내가 관심있거나 궁금한 내용, 더 알고 싶은 내용 떠올리기
- 낱말 또는 문장으로 자유롭게 쓸 수 있습니다. 다양한 생물에 대해 공부할 때 궁금한 것을 질문으로 만들어 모아두고 참고할 수도 있습니다.

2. 관련 내용 조사하고 정리하기
- 조사 방법은 관련 책 읽기, 인터넷에서 찾아보기, 다른 사람에게 물어보기 등 다양합니다. 학생들에게 적절한 방법을 안내할 수 있습니다.
- 조사한 내용을 뜰 때는 다음 내용을 주의하도록 지도합니다.

TIP 〉
- · 책이나 인터넷에서 본 그대로 쓰지 않기
- · 내가 이해한 내용을 요약해서 쓰기
- · 어려운 말은 쉬운 말로 바꾸어 쓰기
- · 공간이 부족하면 공책 다른 쪽을 이용해 정리하기

* 주제를 정하지 못하는 학생은..
- 교과서, 공책, 참고 도서를 선생님 또는 친구와 함께 보며 자유롭게 이야기를 나누며 찾아봅니다.
- 친구들이 주제를 어떻게, 무엇으로 정하는지 보고 주제를 찾아도 늦지 않습니다.

1. 다양한 생물에 대해 배운 것 중 <u>내가 관심 있는, 궁금한, 더 알고 싶은</u> 것은 무엇인가요?

2. 1번에 쓴 내용과 관련된 내용을 조사한 뒤, 그 내용을 생각그물이나 표로 정리해봅시다.

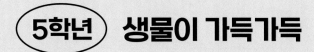
활동안내

1. 탐구 질문 만들기

학생들이 만든 첫 질문은 탐구를 하기에는 어설프고 적절하지 않은 경우가 많습니다. 탐구할 수 있는 구체적인 질문으로 다듬기 위해 교사가 피드백할 때 학생이 그 질문을 선택한 까닭을 바탕으로 지도할 수 있습니다.

> 예) 학생이 만든 질문: 우리 주변에 세균이 정말 많을까?
>
> 탐구하고 싶은 까닭: 유튜브에서 보니 여러 물건에 세균이 많다는데 진짜 그런지 확인해보고 싶다.
>
> 피드백 내용: 주변에 세균이 많은지 어떻게 알아볼 수 있을까? 어떤 물건에 세균이 가장 많을까? 세균이 많고 적은지 어떤 물건을 확인하고 싶어?

2. 다른 사람의 의견과 조언 구하기

다른 사람에게 내 탐구 질문을 보여주고 설명하는 과정에서 학생들은 '이 탐구를 해봐야겠다', '이 탐구는 내가 해야 한다', '잘 해보고 싶다' 등 탐구를 자신의 것으로 받아들이게 됩니다. 이를 위해 다음과 같은 의견과 조언을 나눌 수 있도록 안내할 수 있습니다

TIP 〉 의견과 조언 나누기

· 탐구 주제에 대한 생각이나 느낌
· 탐구할 때 주의할 점, 탐구 주제와 관련된 정보, 관련해서 탐구할 내용 등

3. 최종 탐구 질문 만들기

최종 탐구 질문이 잘 만들어져야 탐구 계획하기, 실행하기 등 다음 과정이 매끄럽게 흘러갑니다. 학생들이 실제로 조사 또는 실험 활동을 할 수 있도록 구체적인 질문을 만들 수 있도록 많은 피드백이 필요합니다.

1. '주제 탐구하기'에서 조사한 내용을 바탕으로 <u>더 알고 싶은 것, 더 해 보고 싶은 것</u>을 질문으로 만들어 1~2개 써 봅시다.

2. 위 내용을 더 알고 싶거나 해 보고 싶은 <u>까닭</u>은 무엇인가요? 자세하게 써 보세요.

3. 내가 만든 질문에 대해 선생님과 친구들의 의견과 조언을 듣고 메모해 봅시다.

4. 내가 탐구할 <u>최종 탐구 질문</u>은 무엇인가요?

 5학년 생물이 가득가득

탐구 질문을 해결하기 위한 계획을 세웁니다. 학생들이 경험하지 않은 상황을 예상해야 하고 계획을 세워야 하기 때문에 부족한 부분이 많을 수 있습니다. 완벽한 계획을 세울 수 있도록 교사가 조언해줄 수도 있고, 학생들이 시행착오를 겪으며 스스로 계획을 수정하는 경험을 하도록 할 수도 있습니다.

활동안내

1. 탐구 과정 구상하기
- 탐구 질문을 해결하기 위해 어떤 과정이 필요할지 찾아보거나 예상해 작성합니다. 개조식으로 작성하면 더 좋습니다.

2. 준비물 목록 작성하기
- 탐구 질문과 과정에 따라 필요한 준비물도 모두 다릅니다. 준비물을 생각하고 고르는 과정도 중요합니다. 준비물 목록 작성은 패들렛 등 에듀테크를 활용할 수도 있습니다.
- 팀 또는 개인별 예산을 정해주고, 제한된 예산 안에서 준비물을 구입하도록 하면 좋습니다. 가격, 규격, 개수 등 탐구에 적절한지 꼼꼼하게 살필 수 있도록 지도해야 합니다.
- 온라인 쇼핑몰을 이용해 물품을 구입한다면 구입처를 통일해 교사 계정을 알려주고 학생들이 물품을 장바구니에 직접 담게 할 수도 있습니다. 이때도 목록을 꼼꼼하게 작성하여 물품이 왔을 때 학생들이 잘 찾아갈 수 있도록 해야 합니다.

3. 탐구 결과물 제작 고민하기
- PPT, 영상, 포스터 등 내 탐구 결과를 잘 보여줄 수 있는 방법을 선택하도록 지도합니다.

1. 나의 탐구 질문을 해결하기 위해 공부해야 할 것, 실험해야 할 것은 무엇인가요?
그 방법과 순서는 어떻게 되나요? 탐구 과정을 생각하거나 찾아 순서대로 써 봅시다.

2. 탐구를 위해 필요한 준비물은 무엇이 있나요? 자세하게 써 봅시다.

준비물 이름	필요 개수	하나당 가격	총 금액	구입처

3. 탐구 결과를 어떤 형태로 만들어 다른 사람과 나눌 것인가요?

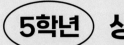

5학년 생물이 가득가득

구상한 계획을 바탕으로 나만의 탐구 시간표를 작성합니다. 계획은 계획일 뿐, 학생들이 탐구를 수행하다 보면 계획이 수정되는 경우가 많습니다. 학생들이 스스로 계획을 수정하고 보완하며 탐구를 이어갈 수 있도록 교사의 고민과 피드백이 필요합니다.

활동안내

4. 탐구 시간표 작성하기

- 팀 또는 개인마다 탐구 과정이 다르기 때문에 시간표도 각자 작성합니다. 학생 생성 교육과정을 운영할 시간을 미리 정해 알려주고, 각 시간마다 무엇을 어떻게 할 것인지 간단하게 계획을 작성합니다. 이때 '탐구 계획 세우기' 학습지 1번 항목의 내용을 참고하도록 합니다.
- 계획을 실제로 실행해보면, 부족하거나 수정할 부분이 생기게 마련입니다. 이를 보완하기 위해 탐구 결과를 간단하게 작성하거나, 탐구 계획을 수정할 수 있는 빈 칸을 만들어 줄 수도 있습니다.
- 탐구를 하다보면 재실험을 하거나, 또 다른 것을 하고 싶어하는 등 원래 계획보다 시간이 더 필요한 경우가 많습니다. 이를 미리 예상하여 교사가 수업 계획을 세우거나, 학생들의 흐름을 따라가며 차시를 조정해야 합니다. 탐구 시간표에도 이를 반영해 빈칸을 제시할 수도 있습니다.

4. 나의 탐구 질문을 해결하기 위한 <u>나만의 탐구 시간표</u>를 작성해봅시다.

	5/11(목)	5/16(화)	5/17(수)	5/18(목)	5/25(목)	
1교시						
2교시						
3교시	생물이 가득가득		생물이 가득가득	생물이 가득가득	생물이 가득가득	
4교시						
5교시		생물이 가득가득				
6교시			x			

날짜	탐구 계획	탐구 결과 (그 날 한 일, 잘한 점, 아쉬운 점, 보완할 점 등)
5/11 (목) 3~4교시		
5/16 (화) 5~6교시		
5/17 (수) 3~4교시		
5/18 (목) 3~4교시		
5/25 (목) 3~4교시		

생물이 가득가득

이제 계획한 탐구 단계에 따라 탐구를 실천할 차례입니다. 계획을 충실히, 또 꼼꼼히 잘 세웠다면 탐구 실천은 비교적 수월하게 진행할 수 있습니다. 교사는 아이들이 계획대로 잘 실천하고 있는지, 탐구 과정을 잘 기록하고 있는지, 탐구 방향이 올바른지, 혹은 더 탐구해야 할 것이 있는지를 확인하고 알맞은 피드백을 주어야 합니다. 탐구 과정을 기록할 때에는 다양한 도구를 사용할 수 있습니다. 배움 공책에 기록하거나, 패들렛이나 구글문서같은 협업도구를 사용할 수도 있습니다.

활동안내

1. 탐구 주제 정하기
- 큰 탐구 주제 안에 매일의 작은 탐구 계획이 있습니다. 오늘 내가 조사, 실험 등을 통해 탐구해야 할 것이 무엇인지 확인하고 방향을 잡는 과정입니다.

2. 조사 내용 정리하기
- 학생들은 주로 인터넷 검색을 이용하여 지식을 얻게 됩니다. 이 때 가장 많이 발생하는 상황이 검색한 내용을 이해하지 못한 채 그대로 옮겨 쓰는 것입니다. 인터넷 상에는 학생들이 이해하지 못하는 수준이 높은 내용도 많고 잘못된 내용도 많습니다. 따라서 교사의 세심한 피드백이 필요합니다.
- 특히, 정보의 출처를 살펴보고 신뢰 여부를 판단할 수 있도록 도와줍니다.
- 핵심 내용을 파악하는 것은 매우 고차원적 능력이자 기술입니다. 아래 내용을 참고하셔서 지도해 보시는 것도 방법입니다.

TIP 〉
  1) 제목 살펴보기
  2) 자주 나오는 낱말 찾아보기
  3) 뜻을 모르는 낱말은 사전에서 검색하기
  4) 동생에게 설명해줄 수 있도록 정리하기
  5) 내 탐구 주제 및 질문과 관련 있는지 확인하기

- 또, 스스로 탐구하는 과정을 사진이나 영상으로 촬영하여 함께 남길 수 있도록 합니다. 스스로 되돌아볼 때 좀 더 의미 있는 기록이 될 수 있답니다.

1. 오늘의 탐구 주제는 무엇인가요?

2. 오늘 무엇을 조사했나요?

- 나의 탐구 과정을 사진, 영상 등으로 남겨 주세요.
- 새로운 지식이나 정보는 핵심을 찾아 간단히 기록해 보세요.

활동안내

3. 탐구 성찰하기

- 자신의 탐구가 성공적이었는지 성찰하기 위한 과정입니다.
- 나의 탐구 과정에서 기억에 남는 점을 찾다보면 잘된 점은 무엇인지, 부족한 점은 없었는지 스스로 되돌아볼 수 있게 됩니다.
- 또, 탐구 과정에서의 기쁨과 성취감 혹은 불편함이나 힘듦 등의 다양한 감정도 기록해 둔다면 좀더 의미 있는 배움의 과정이 될 수 있지 않을까요?

TIP > 이런 질문을 해 보세요.

- · 잘된 점은 무엇이었나요?
- · 아쉬운 점이 있었나요?
- · 무엇을 새롭게 알게 되었나요?
- · 탐구 과정에서 어떤 기분이 들었나요?

4. 추가 탐구할 거리 찾기

- 조사 활동을 하다 보면 자신이 원했던 정보를 순식간에 찾고 더 이상 할 것이 없다고 말하는 어린 이들이 있습니다. 우리의 탐구 목적은, 스스로 공부할 거리를 찾고 몰입하는 경험의 기회를 제공하는 것입니다. 따라서, 조사 과정에서 더 궁금한 것을 찾아 계속해서 탐구가 이어질 수 있도록 격려하는 것이 필요합니다.
- 또한, 아이들이 계획한 실험을 성공하고나면 다음 탐구로 넘어가기 쉽지 않습니다. 이 때, 아이들이 좀 더 조사할 수 있게끔 추가적인 질문을 준비하시는 것이 좋습니다. 예를 들어, 버섯 포자 채취 실험을 성공한 아이들에게는 아래와 같은 질문을 할 수 있습니다.

TIP > 이런 질문을 해 보세요.

- · 다른 버섯도 포자를 같은 방법으로 채취할 수 있을까요?
- · 버섯의 포자는 어떤 역할을 할까요?
- · 현미경으로 무엇을 더 관찰하고 싶은가요?

* 패들렛, 구글도구 등의 온라인 협업도구를 활용하기

- 패들렛, 구글문서 등은 온라인 상황에서도 얼마든지 사용이 가능합니다. 따라서 결석한 아이들도 가정에서 충분히 함께 조사하고 탐구 결과를 기록할 수 있습니다.
- 내 탐구 과정 뿐 아니라 친구들의 탐구과정을 한눈에 볼 수 있기 때문에 서로 긍정적인 자극을 주는 효과도 있습니다. 댓글 기능 등을 적절히 사용해서 탐구 과정을 공유합니다.

3. 오늘 탐구한 것 중 가장 기억에 남는 것은 무엇인가요?

4. 더 알고 싶은 것은 무엇인가요?

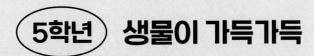

5학년 생물이 가득가득

탐구 결과를 정리하여 다른 학생들에게 발표하고 공유하기 위한 '배움 나눔' 활동 전에 나의 배움을 어떻게 나눌 것인지를 계획하는 활동입니다.

활동안내

1. 목적 세우기

활동지 1, 2번을 통하여 배움 나눔의 구체적인 목적을 세우도록 합니다. 이러한 목적이 바로 서 있지 않았을 때는 배움 나눔의 시간이 또 하나의 '놀이 시간'으로 전락해버릴 수 있기 때문입니다. 교사와 학생들은 올바른 목적 세우기를 위하여 다음과 같은 물음에 대하여 나름의 대답을 가지고 있어야 합니다.

TIP 〉 배움 나눔의 목적 바로 세우기를 위한 질문들

· 배운 내용을 다른 사람들과 함께 나누어야 하는 까닭은 무엇인가?
· 나 또는 우리의 배움은 다른 사람들에게 있어 유용한 지식인가?
· 배움 나눔의 과정을 통해 나와 우리는 무엇을 경험하고 배울 수 있을 것인가?

2. 세부 계획 세우기

활동지 3번을 통하여 학생들은 배움 결과 나눔에 대한 구체적인 세부 실천 계획을 수립하게 됩니다. 이 때, 학생들의 발달 단계와 수준을 고려하여 학생들 스스로 계획하여 정리하도록 합니다. 고학년의 경우에는 준비물이 필요할 경우, 인터넷 검색을 통하여 원하는 구체적인 품명과 구입처까지 정리할 수 있습니다. 더불어 교사 수준에서는 아래의 체크리스트를 활용하여 시기, 장소 등을 정할 수 있습니다.

TIP 〉 '배움 나눔' 계획을 수립하기 위한 체크리스트

☐ '배움 나눔'의 날짜는 언제로 할 것인가?
 · 학생들이 자신의 탐구와 발표 준비를 함에 있어 충분한 시간이 보장되는가?
 · 해당 날짜는 학교교육과정 운영 계획과 겹치거나 영향을 줄 수 있지 않은가?
 · '배움 나눔' 후에 학급에서 최종 반성과 마무리 할 수 있는 시간이 보장되는가?
 · 교사의 업무처리(학기 말 성적 처리, 개인 업무 등)가 과다한 시기는 아닌가?
 · '배움 나눔'에 참여하는 학생들이 해당 활동에 집중하여 참여 가능한 시기인가?

☐ '배움 나눔'의 시간은 언제로 할 것인가?
 · 정규 수업 시간   · 점심시간   · 방과후 시간

☐ '배움 나눔'의 시간은 몇 차시로 운영할 것인가?
 · 종일 운영   · 오전/오후 운영   · 2~3차시 운영

☐ '배움 나눔'의 장소는 어디로 할 것인가?
 · 학급 교실   · 교내 특별실   · 체육관   · 두 군데 이상

1. '생물이 가득가득' 탐구 결과 중 다른 사람들과 나누고 싶은 것은 무엇인가요?

2. 1번 내용을 다른 사람과 나누고 싶은 까닭은 무엇인가요?

3. 배움 나눔을 위한 세부 계획을 정리하여 봅시다.

팀명		팀 구성원	
배움 주제			
나눔 시간	( )시 ( )분 ~ ( )시 ( )분	나눔 1회 소요 시간	1회 나눔시 ( )분 소요 예상
나눔 장소		예상 참여 가능 인원	
나눔 방법	□ 배움 결과 설명　　□ 체험 부스 운영　　□ 시범 보여주기 □ 놀이와 퀴즈 활동　　□ 기타( )		

준비물 및 필요 수량

□ 책상 ( )개　　□ 의자 ( )개　　□ 태블릿 ( )대
□ 이젤 패드 ( )개 □ 기타 준비물이 있음(아래에 종류와 수량 쓰기)

※ 기타 필요한 준비물의 구체적 구입처를 알면 아래에 써주세요.

준비물 명칭	수량	용도	구입처
예) 아이클레이(노랑)	3봉지	설명을 위한 자료 제작	쿠팡

팀 홍보문 내용	
배움 나눔 핵심 요약	

5학년 생물이 가득가득

학생 생성교육과정 '계획-실행-공유' 과정을 되돌아보면서 배움 목표의 달성 정도와 배움의 결과를 확인하고 마무리함과 동시에 또 다른 배움을 준비하는 활동입니다.

활동안내

1. 목표 확인하기
처음 목표한 바를 다시 한 번 확인하도록 함으로써 전체 프로젝트의 배움 성취 정도에 대한 평가 기준을 정립하도록 합니다.

2. 무엇을 배웠는지 떠올리기
학생 생성 교육과정의 전 과정을 통하여 어떤 배움을 얻었는지를 정리하도록 합니다. 여기에서는 당초 계획한 목표와 관련한 직접적 배움 결과뿐만 아니라, 실천 과정에서의 절차적 지식의 습득 등의 전반을 포함하는 배움을 정리하도록 합니다.

3. 스스로 평가하기
1번의 목표를 기준으로 목표 도달 정도를 스스로 평가해보도록 합니다. 팀을 구성하여 생성교육과정의 탐구 실천하였다면 팀 내에서 자신의 역할에 대한 평가도 함께 이루어질 수 있습니다.

TIP 〉 진정성 있는 평가를 위한 질문들
· 처음 세운 목표를 100점 기준으로 평가한다면 자신의 배움에 몇 점을 줄 수 있을까요?
· 팀원들과 함께 탐구를 수행하였다면 전체 100% 중에서 나의 역할 비중은 몇 % 정도로 평가할 수 있을까요?
· 우리 팀의 팀원들 중에서 가장 적극적으로 참여하고 자신의 맡은 역할을 잘 수행한 친구는 누구일까요? 왜 그렇게 생각하나요?

4. PMI로 배움 성찰하기
활동지 4번과 5번을 통하여 긍정적/반성적 자기 피드백과 평가의 기회를 가질 수 있도록 합니다. 이 때 교사는 학생들이 어느 한 쪽으로 치우쳐서 지나치게 긍정적이거나 지나치게 부정적으로 자신을 평가하지 않도록 합니다. 또한 막연한 기분이나 생각을 단답식으로 적는 것이 아니라, 구체적인 이유나 근거를 함께 제시하도록 하여 향후 또 다른 학생 생성 교육과정 수행 시 발전적 배움의 초석이 될 수 있도록 합니다.

5. 또 다른 배움 준비하기

활동지 6번에서 또 다른 관심 주제를 탐색하도록 함으로써 이번에 수행한 자기주도적 탐구가 일회성이 아니라, 연속적이고 발전적인 탐구 과정의 기초라는 것을 인식할 수 있도록 합니다. 이 때, 다음과 같은 발전적 도움 질문을 제시할 수 있습니다.

TIP > 또 다른 학생 생성 교육과정 준비를 위한 질문들

· 이번에 탐구한 생성교육과정 주제와 관련하여 더 발전적으로 탐구하고 싶은 것이 있나요?
· 이번 생성교육과정 탐구 경험을 바탕으로 생성교육과정 주제를 새롭게 마련한다면 어떤 주제를 해보고 싶은가요?

6단계 : 성찰하기	생물이 가득가득

1. '생물이 가득가득' 탐구를 시작할 때 세웠던 목표를 써봅시다.

2. '생물이 가득가득' 탐구 '계획-실행-공유' 과정에서 무엇을 배웠나요?

3. '생물이 가득가득' 탐구를 스스로 평가해봅시다.

* 처음 탐구를 시작할 때 목표한 것을 얼마나 제대로 달성하였는지 등을 쓰면 됩니다.

4. '생물이 가득가득' 탐구 과정과 결과에서 좋았거나 성취감을 느꼈던 점을 써봅시다.

5. '생물이 가득가득' 탐구 과정과 결과에서 아쉽거나 보완하고 싶은 것을 써봅시다.

6. 다음에 또 다른 학생 생성 교육과정을 한다면 어떤 주제를 하고 싶은지 써봅시다.

4학년
금쪽이리빙랩

**4학년 사회 교과와 연계해 사회 참여에 대해 공부한 뒤
더 알고 싶은 것, 더 해보고 싶은 것을 탐구하여
민주 시민으로 성장합니다.**

참고자료

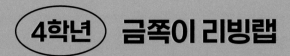

4학년 금쪽이 리빙랩

사회 시간에 사회 참여(지역 문제, 주민 자치 등)에 대해 공부했습니다. 우리 주변에는 어떤 지역 문제가 있을까요? 지금부터 여러분들이 우리 주변에 지역 문제가 없는지 직접 찾아보고 해결해 봅시다.

활동안내

1. 어린이들의 사회 참여 사례 관련 책 읽고, 독후 활동하기
- 초등학생들이 지역 문제 해결에 참여한 사례를 담은 도서들을 제시하고, 그 중 학생 개인이 원하는 도서 1권을 각자 선택하여 읽습니다.
- 2시간(연차시)로 운영하면 70% 학생들은 독서 및 독후활동까지 가능합니다.
- 독후 활동을 통해 어린이들이 사회 참여 사례를 공유합니다.

TIP 〉 도서 목록 예시
· 김하연. 2018. 「똥 학교는 싫어요!」. 초록개구리
· 미셸 멀더. 2023. 「초콜릿이 너무 비싸요!」. 초록개구리
· 박남정. 2018. 「초딩, 자전거 길을 만들다」. 소나무
· 배성호. 2021. 「우리가 교문을 바꿨어요!」. 초록개구리
· 배성호. 2021. 「우리가 박물관을 바꿨어요!」. 초록개구리

2. '금쪽이 리빙랩' 뜻 이해하기
- 금쪽이: TV 프로그램 '금쪽같은 내 새끼'와 관련지어 우리가 해결해야 할 우리 주변 지역 문제를 의미
- 리빙랩: '살아있는 실험실, 우리 마을 실험실'이라는 의미로 현장 중심적 문제 해결 방법론
- 우리 학교 주변에 금쪽이가 있는지 떠올려봅니다. 지역 및 학교 상황에 따라 우리 학교 주변에서 우리 지역으로 확대해도 됩니다.

3. 학교 주변 답사하며 금쪽이 찾기
- 학교 주변을 실제 답사하며 우리 지역 문제를 찾아보는 활동입니다. 학생들이 직접 문제점들을 찾고 탐구할 수 있도록 교사는 사전 답사를 통해 미리 주변 상황 파악 및 안전 사고를 주의히여 답사 준비를 합니다.
- 답사 시, 학생이 생각하는 문제점을 발견하면 사진을 찍어두도록 안내합니다.
- 답사 후, 패들렛 등을 활용하여 학생들이 발견한 금쪽이를 사진과 함께 공유합니다.

1. 내가 읽은 책을 소개해요.

책 읽은 날짜	
내가 읽은 책 제목	
이 책을 선택한 이유	
주인공들이 겪은 문제와 그 문제를 해결하는 과정	
나의 한 줄 평	

2. '금쪽이 리빙랩'은 무슨 뜻일까요?

금쪽이 금쪽이 리빙랩 리빙랩

우리 학교 주변에도 금쪽이가 있을까?

3. 내가 찾은 금쪽이를 소개해요.

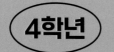 # 4학년 금쪽이 리빙랩

우리 학교 주변 금쪽이 지도 만들기 단계입니다. 학생들이 찾은 지역 문제들을 우리 학교 주변 지도에 표시하면서 지도 단원에서 학습한 내용을 실생활 문제 해결에 적용해 볼 수 있습니다. 본 활동을 통해 우리 학교 주변의 지역 문제 분포를 살펴볼 수 있습니다.

활동안내

1. 금쪽이 유형 분류하기
- 학생들이 답사 후 올린 금쪽이 사진들을 확인하고, 분류하는 과정을 거칩니다.
- 예) 교통 문제, 주차 문제, 어린이 보호구역 문제, 쓰레기 문제, 시설 문제 등

2. 금쪽이 기호 만들기
- 금쪽이 지도에 필요한 기호를 제작합니다.
- '지역 문제 기호 만들기 공모전'을 할 수 있습니다.
  다인수 학급의 경우 이 공모전을 통해 기호의 상징성에 대해
  이해하고 가장 문제를 잘 드러낼 수 있는 기호를 결정하여
  전체적으로 공유할 수 있습니다.
- 공모전을 통해 만든 기호는 시각적으로 잘 구분되고 지도 만들기에
  사용하기 용이하도록 스티커로 제작합니다.

3. 우리 학교 주변 금쪽이 지도 만들기
- 학교 주변 지도에 축척, 방위, 범례 등 지도의 구성 요소를 표시합니다.
- 답사 때 찍은 사진(사진 인화 혹은 컬러 프린트로 제공)을 붙이고, 포스트잇을 활용하여 지도에
  금쪽이인 이유를 1~2줄 작성합니다.
- 학생들이 분류한 문제 종류별로 기호 스티커를 붙여 표시합니다.
- 지도가 완성되면 교실 혹은 복도 등 잘 보이는 곳에 게시하여 공유합니다.

TIP > 4학년 1학기 사회과 '지도' 개념을 실생활 문제에 적용하기
· 지도 단원에서 학습한 개념들(축척, 방위, 범례 등)을 우리 학교 금쪽이 지도 만들기에 적용할 수
  있도록 합니다.
· 실생활 문제를 해결하기 위해서는 다양한 지식이 통합되어 활용됨을 알 수 있도록 합니다.
· 학교 지도를 프린트할 때는 A1 사이즈 이상으로 제작해야 기호와 사진, 금쪽이인 이유를 붙일 있습니다.

1. 우리가 찾은 금쪽이들을 어떻게 <u>분류</u>할 수 있을까요?

2. 우리 학교 주변 금쪽이 지도에는 무엇이 들어가면 좋을까요?

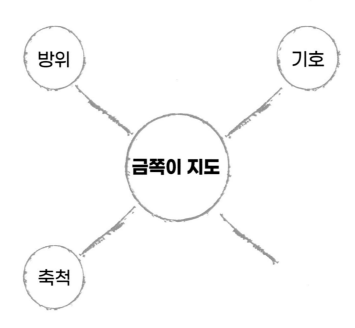

3. 우리 학교 주변 금쪽이 지도를 만들고 <u>알게 된</u> 점을 써 봅시다.

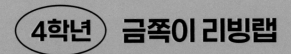

4학년 금쪽이 리빙랩

함께 찾은 금쪽이를 살펴보며, 하나의 문제를 집중 조사하는 활동입니다.
학생들의 주된 생활 공간이지만 눈여겨보지 않으면 무심코 지나치는 것들에 대해 문제 인식을 가지고, 나만의 금쪽이를 만듭니다.
나만의 금쪽이를 조사하고 해결하기 위한 공부 계획을 세워 봅시다.

활동안내

1. 우리 학교 주변에서 해결하고 싶은 금쪽이 떠올리기
낱말 또는 문장으로 자유롭게 쓸 수 있습니다. 지역 문제를 공부할 때 궁금한 것을 질문으로 만들어 모아두고 참고할 수도 있습니다.

2. 해결하고 싶은 이유 작성하기
내가 정한 주제가 지역 문제 조건에 해당하는지 체크합니다.

TIP 〉 조건 예시
· 개인이 직접 해결하기 어려운 문제인가요?
· 그 문제를 해결하면 많은 사람들이 편리한가요?

3. 피드백 받기
학생들이 실제로 조사하고 사회 참여 활동을 할 수 있도록 많은 피드백이 필요합니다. 자신이 찾은 문제가 정말 금쪽이가 될 수 있을지 친구들, 교사의 피드백을 받습니다.

4. 내가 해결하고 싶은 금쪽이 정하기

금쪽이 공부 계획 세우기
 - 내가 어떤 순서로 지역 문제를 조사하고 해결할지 찾아보거나 예상하여 작성합니다.
 - 어려워하는 학생들은 사회 교과서에 지역 문제 해결 과정 순서를 확인하여 도움을 받도록 지도합니다.
 - 계획은 실제로 부족하거나 수정해야 할 부분이 생깁니다. 탐구 계획을 수정할 수 있도록 연필로
   작성하거나 빈칸 혹은 주변 여백을 활용할 수 있도록 합니다.

결과물 제작 고민하기
 - PPT, 영상, 포스터 등 내 탐구 결과를 잘 보여줄 수 있는 방법을 선택하도록 지도합니다.

TIP 〉 나만의 지역 문제를 정하기 어려워하는 학생의 경우
· 교과서, 배움 공책, 참고 도서, 금쪽이 지도를 바탕으로 선생님과
  이야기를 나누며 찾아봅니다.
· 친구들이 주제를 어떻게, 무엇으로 정하는지 보고 주제를
  찾아도 늦지 않습니다.

1. 금쪽이 지도에서 내가 해결하고 싶은 금쪽이는 어떤 것들이 있나요?

2. 위 금쪽이를 해결하고 싶은 까닭은 무엇인가요? 자세하게 써 보세요.

나의 금쪽이를 소개합니다.		
금쪽이가 가진 문제		
이 금쪽이를 선택한 이유		
금쪽이를 해결하기 위한 공부 계획	순서	공부할 내용
결과물 제작 방법 (발표 방법)		

3. 나의 주제에 대해 선생님과 친구들의 의견을 듣고 메모해 봅시다.

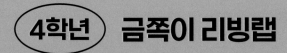

4학년 금쪽이 리빙랩

금쪽이의 원인을 분석하는 단계입니다.
자료 조사, 설문 조사, 면담을 통해 수집한 자료를 바탕으로 개인 혹은 모둠에서 문제 원인을
파악하도록 합니다.

활동안내

1. 자료 조사하기
- 다양한 지역 뉴스, 기사 등을 조사하며 비슷한 사례를 분석합니다.
- 학생들에게 자료 수집을 맡길 경우, 문제와 관련된 내용의 자료를 수집해야 하는데 정보를 제대로 조사
  하지 못하는 학생들이 있습니다. 정보 검색 방법을 사전 지도하고, 교사가 미리 관련된 내용들을 조사한
  기사나 사이트들을 패들렛에 올려주는 방법을 병행하여 자료 수집을 할 수 있도록 합니다.

2. 면담 및 설문조사 하기
- 금쪽이가 된 원인을 분석하기 위해 지역 주민(교직원, 학부모, 학생, 주변 상인 등)을 대상으로 면담 및
  설문 조사를 실시합니다.
- 설문 내용은 교사가 제시한 설문 조사 예시를 참고하여 작성하되 학생들 스스로 작성해 보도록 합니다.
  문제의 본질에서 벗어난 설문 내용은 피드백하도록 합니다.
- 설문과 면담을 통해 문제에 대해 나뿐만 아니라 많은 사람들이 어떤 생각을 가지고 있는지 확인할 수
  있도록 합니다. 지역 주민들 모두의 문제라는 점을 인식하게 되며 탐구의 방향성을 잡아갑니다.

3. 조사 결과 정리하기
- 수집된 자료를 요약할 때는 그대로 쓰지 않고, 내가 이해할 수 있는 쉬운 말로 바꿔서 요약할 수 있도록
  지도합니다.

TIP > 온라인 협업 도구를 활용하기

설문 내용이 정해지면 온라인 설문지를 통해 설문을 실시합니다.
구글이나 네이버를 활용하여 면담과 설문을 실시하면 데이터 수집이 수월합니다.

1. 금쪽이와 관련된 자료에서 알 수 있는 사실을 써 봅시다.

수집한 자료	자료를 통해 찾은 정보

2. 금쪽이 원인을 진단하기 위해 설문 및 면담을 해 봅시다.

설문 계획	면담 계획
1) 설문 대상	1) 면담 대상
2) 설문 내용	2) 면담 내용
설문 및 면담 결과 정리	

3. 금쪽이가 된 원인은 무엇인지 정리해 봅시다.

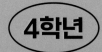

4학년 금쪽이 리빙랩

우리 지역 금쪽이를 실제 해결하기 위한 준비 과정으로 이어집니다.
지역 문제 해결 방안을 결정하여 금쪽이 진단서를 작성을 준비합니다. 진단서에는 지역 문제의
원인, 해결하지 않았을 때 발생하는 문제, 지역 문제가 해결되었을 때 기대 모습, 지역 문제 해결
계획이 포함됩니다.

활동안내

1. 금쪽이 해결 방안 탐색하기
- 지역 문제 해결 방안에 대해 토의하고 해결 방법을 찾기 위해 어떤 것이 필요한지 생각해 봅니다.
- 문제 발생 원인, 해결하였을 때의 예상되는 모습 등을 중심으로 해결 계획을 수립합니다.
- 개인 혹은 모둠에서 찾은 해결 방법을 학급 친구들과 공유하며 더 많은 해결 방안을 생각해볼 수 있도록
  서로 피드백합니다. 피드백을 할 때에는 포스트잇을 활용할 수 있도록 하며 최대한 다양한 의견과 궁금
  한 점을 붙일 수 있도록 지도합니다.
- 다른 모둠의 피드백 내용을 정리하여 각 모둠의 진단서 내용을 보완합니다.

2. 공공기관 활용하기
- 금쪽이를 해결하기 위해 어떤 기관의 도움을 받는지 알아보고, 필요에 따라서는 기관에 도움을
  요청합니다.
- 4학년 1학기 사회과에서 배운 '공공기관' 개념과 연계하여 운영합니다.
- 대다수의 아이들이 각 기관이 어떤 일을 하는지 몰라서 적절한 공공기관을 찾지 못하는 경우가
  있습니다. 교사가 필요한 공공기관을 파악하고, 추가적으로 자료 제공을 통해 공공기관을 찾는데
  도움을 줄 수 있도록 합니다.

3. 금쪽이 진단서 완성하기
- 모둠 토의 내용과 설문조사 결과를 바탕으로 금쪽이 진단서를 작성합니다.
- 진단서에는 원인 분석 내용, 문제를 방치하였을 때 나타날 수 있는 문제, 해결하였을 때 기대되는 모습,
  문제를 해결하기 위해 결정한 해결 방법 등이 포함됩니다.

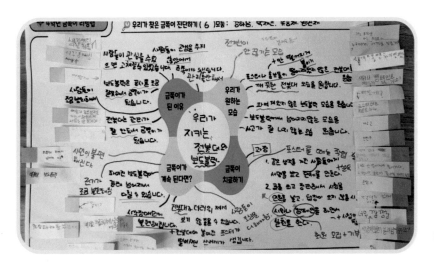

1. 금쪽이 해결 방법을 탐색해 봅시다.

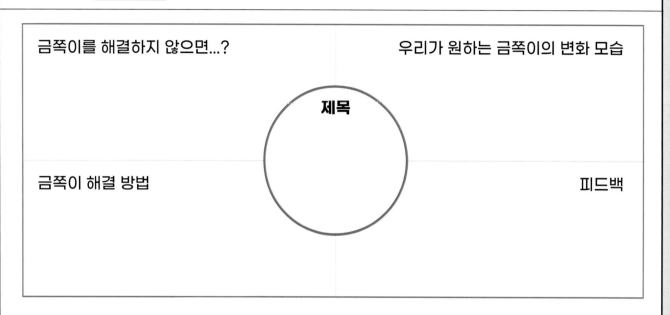

금쪽이를 해결하지 않으면...?   우리가 원하는 금쪽이의 변화 모습

제목

금쪽이 해결 방법   피드백

2. 금쪽이를 해결하는데 도움을 줄 수 있는 공공기관은 어떤 곳이 있나요?

공공기관	금쪽이를 위해 도움을 줄 수 있는 일

3. 금쪽이 최종 해결 방법은 무엇인가요?

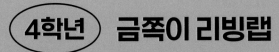

4학년 금쪽이 리빙랩

금쪽이 진단서를 바탕으로 제안하는 글을 쓰는 단계입니다.
4학년 국어과에 '제안하는 글쓰기' 수업 후 작성하면 효과적입니다.

활동안내

1. 제안하는 글 개요 짜기
- 4학년 1학기 국어과와 연계하여 주민 참여의 한 방법으로 제안하는 글을 쓰도록 합니다. 제안하는 글의 형식을 알아보고 글의 구성 요소를 확인하며 자신이 찾은 지역 문제에 대한 글을 쓰기 위한 준비를 합니다.
- 자신이 찾은 지역 문제를 분석하여 제안하는 글의 형식에 알맞게 '문제 상황', '제안하는 내용', '제안하는 까닭'을 정리하며 글의 개요를 짜봅니다. 이 때 각 단계별로 예시문장을 들어 제안하는 글에는 일정한 형식이 있음을 알 수 있도록 합니다.

문제 상황	- 어떤 점이 문제인지 다른 사람들이 알 수 있게 자세히 씁니다. - 요즘 ~하고 있다. ~(이)가 심각해지고 있다. - 가장 큰 문제점은 ~(이)다.
제안하는 내용	- 문제를 해결하기 위한 자신의 제안을 씁니다. - ~했으면 좋겠습니다. ~합시다. ~해 봅시다. - ~하는 것이 어떨까요?
제안하는 까닭	- 왜 그런 제안을 했는지, 제안한 내용대로 했을 때 무엇이 나아지는지 씁니다. - 왜냐하면 ~하기 때문입니다. 만약 ~하면 ~할 수 있습니다.

2. 제안하는 글 쓰기
- 개요를 바탕으로 내가 제안하고자 하는 내용이 한눈에 알 수 있는 제목을 선정합니다. 제목을 붙이기 어려워하는 경우 글을 다 쓰고 가장 마지막에 쓰는 방법을 안내합니다.
- 작성한 개요를 바탕으로 제안하는 글을 씁니다. 이때 제안하는 대상과 목적을 생각하여 작성하도록 합니다.

1. 제안하는 <u>글을 쓰기 위한 준비</u>를 해 봅시다.

문제 상황	
제안하는 내용	
제안하는 까닭	

2. <u>제안하는 글</u>을 써 봅시다.

우리가 바라는 세상 우리가 바꾸는 세상	금쪽이 해결을 위한 제안하는 글 쓰기	이름
[제목]		

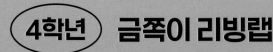

4학년 금쪽이 리빙랩

탐구 결과를 정리하여 다른 학생들에게 발표하고 공유하는 배움 나눔 시간입니다.
배움 나눔을 마친 후에는 스스로 배움 과정을 되돌아 봅니다.

활동안내

1. 보고서 작성하기

- 지금까지 학생들이 계획하고 실행한 결과물을 보고서 형식으로 작성하여 각각의 문제 해결 과정을
  학급에서 공유할 수 있도록 합니다. 작성한 보고서는 차후 평가자료로 활용할 수 있습니다.
- 보고서에는 금쪽이 진단서, 사진, 설문조사 결과, 제안하는 글 등을 보고서에 정리하여 학교 복도에
  게시합니다. 활동의 결과물을 전시함으로써 학생들에게 지역 문제를 해결하는 방법 중 하나인 주민
  참여의 모습을 직접적으로 실천하고, 더불어 학교 전체 공유를 통해 관련된 많은 사람들을 참여로
  이끄는 효과도 경험할 수 있도록 하는 데 목적이 있습니다.

2. 주민 참여 활동하기

교내 활동에서 그치지 않고 우리의 결과물을 바탕으로 지역사회에 환원하는 단계입니다. 우리가
찾고 계획하여 실행한 문제 해결을 위한 노력이 지역사회에 영향력을 발휘하고 실제 결과로
되돌아오는 것을 직접 눈으로 확인할 수 있다면 이보다 강력한 피드백은 없을 것입니다.

> **TIP > 아이들이 할 수 있는 사회 참여 예시**
>
> · 국민신문고 　　　　　　　· 지역경찰서 누리집 민원게시판
> · 시청 누리집 민원게시판 　· 국민동의청원 게시판

3. 프로젝트 마무리하기

프로젝트 마무리를 하며 긍정적/반성적 자기 피드백과 평가의 기회를 가질 수 있도록 합니다.
'내가 알게 된 점'을 통해 이 프로젝트를 진행하며 습득한 지식을 정리해볼 수 있도록 하고 '내가 할 수
있게 된 점'을 정리해 보며 문제 해결을 위한 방법적, 기능적 지식의 유용함을 느껴볼 수 있도록 합니다.

> **TIP > 또 다른 학생 생성 교육과정 준비를 위한 질문들**
>
> · 이번에 탐구한 생성 교육과정 주제와 관련하여 더 발전적으로
>   탐구하고 싶은 것이 있나요?
> · 이번 생성 교육과정 탐구 경험을 바탕으로 생성교육과정 주제를
>   새롭게 마련한다면 어떤 주제를 해보고 싶은가요?

1. '금쪽이 리빙랩'을 통해 <u>내가 알게 된 점</u>을 써 봅시다.

2. '금쪽이 리빙랩'을 통해 <u>내가 할 수 있게 된 점</u>을 써 봅시다.

3. '금쪽이 리빙랩' 탐구 과정과 결과에서 <u>아쉽거나 보완하고 싶은 것</u>을 써 봅시다.

4. 다음에 또 다른 학생 생성 교육과정을 한다면 어떤 주제를 하고 싶은지 써 봅시다.

MEMO

3학년
자석, 네가 궁금해!

**3학년 과학 교과와 연계해 자석을 공부한 뒤
탐구할 수 있는 주제를 선정해 자석을 활용한 장난감을 개발합니다.**

참고자료

3학년 자석, 네가 궁금해!

이번 단원에서는 자석에 대해 공부할 예정입니다. 여러분 자석을 본 적이 있나요?
자석을 가지고 놀아본 적 있나요? 자석에 대해 궁금한 점은 무엇이든 써 봅시다.

활동안내

1. 자석을 공부하면서 떠오르는 질문을 모으기

자석과 관련한 질문을 갑자기 만들기 어려울 수 있습니다. 수업 전, 그리고 수업 중간에 떠오른 질문들을 모아갈 수 있도록 장치를 만들어주면 좋습니다. 패들렛에 기록해도 좋고, 칠판 메모판에 계속 붙일 수 있도록 합니다.

2. 떠오르는 질문을 탐구 질문으로 만들기

질문을 만드는 것이 가장 중요한 단계라고 생각합니다. 검색을 통해 바로 해결할 수 있는 질문보다는 실험이나 다양한 자료를 바탕으로 추론해야 하는 질문을 선택할 수 있도록 조언해줍니다. 학생 수준에서 답을 찾아도 이해하기 어려운 질문인 다시 선택하게 해주거나 관련 내용을 학생 수준에 맞춰 질문을 수정할 수 있도록 합니다.

3학년 학생이 한 질문 사례	
1. 자석의 모양을 어디까지 만들 수 있을까?	×
2. 자석에 그림을 그릴 수 있을까?	×
3. 자석을 가볍게 만들 수 있을까?	×
4. 자석과 철이 5cm 떨어져 있어도 붙을까?	△
5. 자석은 몇 그램까지 들 수 있을까?	○

1번, 2번, 3번 질문의 답은 실험으로 알아낼 수 없고, 간단히 답할 수 있는 질문입니다. 따라서,
다른 질문을 선택할 것을 권합니다. 4번 질문은 실험이 가능하지만, 교사의 피드백이 필요해 보입니다.
질문을 자석은 철에 몇 cm보다 멀리 있을 때, 힘이 통할까?로 바꿔 줍니다. 5번 질문은 다음 단계인 실험을 설계할 수 있도록 안내합니다.
단원의 주제마다 실험을 중심으로 할지, 조사학습을 중심으로 할지 달라집니다. 자석 단원은 실험을 할 수 있는 내용으로 질문하도록 유도해도 좋습니다.
개별 활동을 권장하지만, 3학년에서 처음 탐구해보는 학생들에겐 어려울 수 있습니다.
그래서 1학기에 모둠 활동으로 먼저 해보고, 2학기에 개별 활동으로 할 수 있도록
계획해도 좋습니다.

탐구질문

자석의 성질에 대해 공부하고 나서 스스로 실험해보고 싶은 질문을
찾아 탐구합니다. 자석에 대해 궁금한 것은 무엇인가요?

1. 자석과 관련하여 궁금한 질문을 자유롭게 써 보세요.

2. 여러 질문 중 자신이 알고 싶은 질문을 하나 선택하세요.

3. 내가 선택한 질문에 대한 선생님 생각

4. 최종 주제

3학년 자석, 네가 궁금해!

자석의 성질과 관련한 탐구 질문을 정했습니다. 어떻게 탐구할지 탐구 계획을 세워봅시다.

활동안내

1. 탐구 계획을 선생님께 설명하기

학생들은 자신이 정한 탐구 질문을 해결하기 위해 실험을 수행합니다. 어떤 실험을 수행할지 계획을 세우는 단계입니다. 계획서를 쓰기 전에 교사와 어떤 실험을 할지 개별적으로 이야기를 나눕니다. 탐구 질문을 해결하게 해주는 실험을 계획을 이야기한다면, 바로 학습지를 작성하게 합니다. 하지만, 이 단계에서 교사는 탐구 질문과 실험 계획이 정합적으로 이루어졌는지 확인합니다. 수업을 진행해보니, 이 과정에서 질문이 수정되는 경우도 있습니다. 저는 실험 계획에 맞게 탐구 질문을 수정할 수 있도록 했습니다.

수업에 활용할 수 있는 질문
1. 어떤 실험을 계획하고 있나요?
2. 그 실험을 하면, 탐구 질문에 대한 답을 찾을 수 있나요?
3. 정확한 결과를 얻기 위해서는 어떻게 실험하는 게 좋을까요?
4. 예상하는 결과는 무엇인가요?

2. 탐구 계획서를 작성하기

교사와의 계속 되는 피드백을 끝으로 탐구 질문과 실험 설계가 이어지면, 탐구 계획서를 작성하도록 합니다. 탐구 질문이 잘 떠오르지 않는 학생에게는 교사가 여러 질문들을 제시하였습니다. 또한, 실험 설계가 잘되지 않는 학생에게는 처음에는 자신이 질문을 찾아갈 수 있도록 열린 발문을 했지만, 시간이 늦춰질 경우에는 실험 설계에 대한 직접적인 피드백을 제시해주었습니다.

TIP 〉

실험 설계에 대해 탐구 주제별로 피드백을 해주고, 계획을 작성하게 합니다.

탐구질문

1. 준비물

2. 탐구 순서

3. 탐구 결과 예상

탐구질문

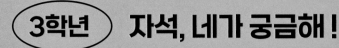
활동안내

1. 탐구 순서에 따라 탐구하기

교사가 학생들에게 필요한 준비물을 확인하고, 준비물을 제공합니다. 제공한 준비물을 받아 탐구를 하다가 필요한 준비물이 더 생길 수 있으니 그때 그때 기록해두거나 선생님께 말하도록 지도합니다.

2. 탐구 질문을 해결할 수 있는 과정인지 수시로 확인하기

학생들은 주로 만들기의 과정에 몰입하다 보니 탐구 질문을 잊고 만들기 활동에만 빠져있을 때가 많습니다. 학생들에게 다가가 탐구 주제가 무엇인지, 그 질문을 해결하기 위한 과정인지를 묻고 답하는 과정에서 학생들이 탐구를 해가도록 지원합니다.

학생들의 질문 사례
1. 자석 자동차로 미로를 몇 초만에 통과할 수 있을까?
2. 자석의 힘은 A4용지 몇 장까지 통과할까?
3. 자석을 붙인 열기구는 클립 몇 개까지를 들 수 있을까?
4. 물 속에서도 자석의 힘이 통할까?

 **3학년** **자석, 네가 궁금해!**

개별 탐구 과정과 결과를 공유하기 위해 러닝 페어를 합니다. 다른 학년을 초대해도 좋고, 다른 학급을 초대해도 좋습니다. 이를 위해 사전 실험을 꼭 하고, 실험 결과를 정리해놓도록 하였습니다.

활동안내

1. 러닝 페어 준비하기
개별 실험으로 끝나도 좋지만, 학생들은 누군가에게 자신의 실험 결과를 소개하는 활동을 좋아합니다. 또한 다른 친구들은 어떤 실험을 했는지 직접 체험하는 것을 즐깁니다. 이러한 성향을 파악하여 미리 안내하고 러닝 페어를 한다면, 학생들은 더욱더 적극적으로 탐구 활동에 임하게 됩니다.

2. 러닝 페어 열기
러닝 페어를 열기 위해 초대할 사람, 일시 등은 교사가 정해두고, 프로젝트를 시작하면서 학생들에게 미리 알려주면 동기부여가 됩니다. 또 탐구의 방향도 친구들이 참여할 수 있는 탐구로 피드백하여 체험형 러닝 페어가 됩니다. 원리를 설명하는 중심의 고학년과는 달리 탐구 질문에 대한 답을 얻기 위해 실험을 계획하고 실행하는 과정을 다른 친구들에게 설명해주는 데에 중점을 두었습니다.

 **3학년** **모여라! 동물의 숲**

이번 단원에서는 동물에 대해 공부할 예정입니다. 스스로 알아보고 싶은 것을 탐구합니다.
동물에 대해 궁금한 것은 무엇인가요?

활동안내

1. 궁금한 질문 모으기

동물 수업을 시작하면서 칠판에 질문판을 붙여놓고, 포스트잇을 준비해두었습니다. 질문이 생길 때마다
포스트잇에 써서 붙여놓게 하였습니다. 단원이 마무리되고, 생성 교육과정으로 수업을 시작할 때,
이 포스트잇에 쓴 질문들을 가지고 수업을 시작했습니다. 패들렛에 학생별로 탭을 만들어두고, 질문을
쌓아나가게 해도 좋습니다.

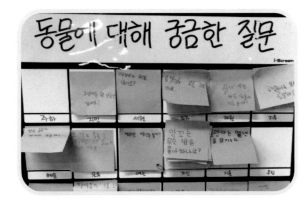 

2. 탐구할 질문 만들기

동물을 주제로 자신이 탐구해보고 싶은 것을 찾아보게 하였습니다. 이때도 질문을 다듬는데 2차시 정도
소요되었습니다. 질문을 만드는 것을 어려워하는 학생에게는 일단 관심있는 동물에 대해 기초 조사를
하면서 질문을 만들도록 했습니다. 학생이 정리해 온 내용을 살펴보고, 질문을 만들어주기도 했습니다.
(예) 코끼리는 아기 때도 큰가요? 질문을 써 온 학생
피드백 : 왜를 넣어 질문을 만들어 오세요. 코끼리에 대해 궁금한 것을 최대한 많이 만들어오세요. 코끼리
는 왜 코가 길까요? 코끼리는 왜 무거울까요? 등 학생이 만들어온 질문 중 코에 대한 질문이 많았기에,
코끼리 코로 할 수 있는 일은 무잇일까? 코끼리 코의 특징은 무엇일끼? 범위를 좁힌 질문이면서도
학생 수준에서 조사할 수 있는 질문으로 정해주었습니다.

TIP >

학생들이 만든 질문의 방향과 초점을 잡아주어야 다음 단계
조사하기에서 원활하게 진행될 수 있습니다.

1. 동물과 관련하여 궁금한 질문을 자유롭게 써보세요.

2. 여러 질문 중 자신이 알고 싶은 질문을 하나 선택하세요.

3. 내가 선택한 질문에 대한 선생님 생각

4. 최종 주제

3학년 모여라! 동물의 숲

이번 단원에서는 동물에 대해 공부할 예정입니다. 스스로 알아보고 싶은 것을 탐구합니다.
동물에 대해 궁금한 것은 무엇인가요?

활동안내

1. 조사하는 방법 지도하기

- 이번 생성 교육과정 사례는 조사하기 기능과 관련됩니다. 학생들에게 사전에 어떤 사이트에서
찾아야 하는지, 국어사전에서 어려운 낱말의 뜻을 찾는 방법 등을 미리 알려줍니다. 1차 조사 자료를
정리하도록 합니다.

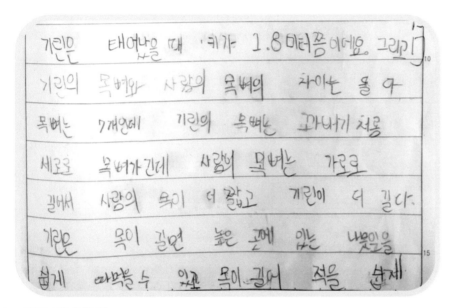

2. 자료 정리하기

자료 정리를 할 때, 친구가 이해할 수 있는 수준의 글을 쓰도록 했습니다. 이를 위해 국어사전을
활용하거나 선생님의 도움을 받아 글을 정리하도록 안내했습니다.

TIP >

1차 자료를 정리할 때 원자료를 그대로 베껴 쓰지 않고,
쉬운 말로 설명하듯이 쓸 것을 안내해야 합니다.

---

1. 최종 질문을 해결하기 위해 무엇을 조사해야 하나요?

2. 여러 질문 중 자신이 알고 싶은 질문을 하나 선택하세요.

3. 어떤 사이트에서 조사하면, 믿을 만한 자료를 찾을 수 있나요?

4. 조사한 자료의 내용을 정리해봅시다.

 **3학년** **모여라! 동물의 숲**

동물에 대해 궁금한 내용을 친구들에게 발표하려고 합니다. 발표 자료를 어떻게 만들면 친구들이 이해하기 쉬울지 고민하여, 발표 자료를 만들어 봅시다.

활동안내

1. 발표 자료 제작하기

1차 자료를 정리한 것을 바탕으로 발표 자료를 제작하도록 하였습니다. 8절 색도화지에 어떻게 자료를 배치하면 좋을지, 시각 자료는 어떤 자료를 넣으면 좋을지, 적당한 그래픽 조직자는 어떤 것이 있을지 학생들과 1대 1로 이야기 나누는 시간을 가졌습니다. 학업 능력이 우수한 학생의 경우, 큰 방향만 제시하니 알아서 자료를 만들고, 사진 자료를 패들렛에 업로드 하였습니다. 하지만, 자료를 보기 좋게 정리하는 것이 어려운 학생의 경우 직접적으로 방법을 제시해주었습니다.

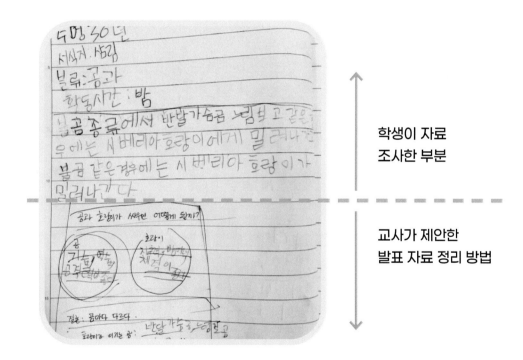

학생이 자료
조사한 부분

교사가 제안한
발표 자료 정리 방법

1. 발표 자료를 만들 때, 필요한 사진 자료는 패들렛에 업로드하여 일괄 출력하였습니다.

TIP >

발표 자료를 만드는 방법에 대해 피드백 해 줄 필요가 있습니다.

1. 친구가 이해하는 데 도움이 될만한 사진 자료는 어떤 것이 있을까요?

2. 어떤 그래픽 조직자를 활용하면 발표 내용을 알기 쉬울까요?

1)
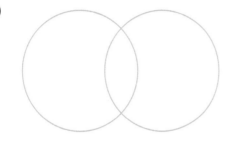

2)
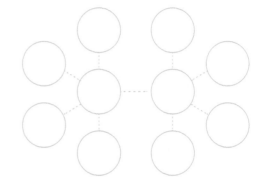

3)
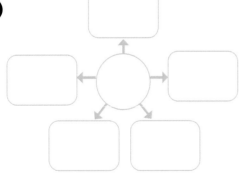

4)
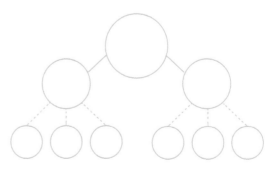

3. 발표 자료 개요를 짜봅시다.

동물에 대해 탐구한 내용을 친구들에게 설명하는 러닝 페어를 했어요.

활동안내

1. 초대할 학급, 협동학습 구조 정하기

학생들이 자신이 공부한 내용을 발표할 수 있는 자리를 마련해주는 활동은 학생들로 하여금 탐구의 동기를 불러일으킵니다. 이러한 점에서 러닝 페어는 프로젝트 수업이나 생성 교육과정을 운영할 때는 자주 활용되는 활동입니다. 다른 학급을 초대하는 것이 어렵다면, 둘 가고 둘 남기 구조를 활용하여 학급 내에서 서로 설명하도록 해도 좋습니다.

TIP 〉

발표 자료를 게시하는 미니 나무 이젤을 학생 수만큼 구비해놓고, 수업에서 활용하니 좋았습니다.

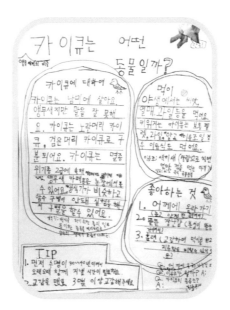

2. 평가 방법 정하기

개인 책상을 발표 부스로 만들어 발표하도록 합니다. 평가는 듣는 친구들에게 스티커를 나누어주고, 스티커를 발표 기준에 맞게 평가하여 1~3개를 붙여주게 하였습니다.

3. 성찰하기

러닝 페어를 하고 나서 느낀 점을 발표하고 공유하였습니다.

2학년
놀이의 고수를 찾아라

2학년 국어, 수학, 통합교과를 공부하고 나서
배운 것과 연결하여 나만의 놀이를 탐구합니다.

참고자료

 **2학년** **놀이의 고수를 찾아라**

놀이에 대한 다양한 경험을 떠올리고, 탐구 주제인 놀이와 관계를 맺는 단계입니다.
이 단계에서는 1) 놀이 알아보기, 2) 놀이와 관계 맺기의 활동이 이루어집니다.

활동안내

1. 놀이 알아보기

- 탐구 주제인 '놀이'에 대한 학생들의 사전 지식을 확인하고, 학생이 답한 내용에서 공통적인
  부분을 도출해서 반에서 '놀이'의 의미를 같이 약속합니다.
- 놀이의 사전적 정의는 '신체적 · 정신적 활동 중에서 식사, 수면, 호흡, 배설 등 직접 생존에 관계되는
  활동을 제외하고 일과 대립하는 개념을 가진 활동'이나 2학년 수준에서는 '즐거운 활동'으로 설명할
  수 있습니다. 그리고 학생들이 일반적으로 아는 신체 놀이뿐만 아니라 미술 놀이, 교과 놀이 등 다양한
  활동이 놀이가 될 수 있다는 교사의 안내가 꼭 필요합니다.
- 교사는 학생들이 놀이에 대해 다양한 생각(놀이의 이름, 놀이에 대한 감정 등)을 확산적으로 할 수
  있도록 도와야 합니다.

TIP > 놀이에 대해 다양한 생각을 떠올리도록 돕는 교사의 발문

1. 내가 알고 있거나 경험한 놀이는 무엇인가요?
2. 놀이를 할 때 어떠한 마음이 들었나요?

2. 놀이(탐구 주제)와 관계 맺기

- 학생들이 경험해 본 놀이를 정리하도록 합니다. 학생들의 쓰기 수준에 따라서 단순히 놀이의 이름만
  쓰고 놀이 방법은 말로 하도록 할 수 있습니다.
- 교사가 학생들이 발표한 놀이를 비슷한 놀이끼리 묶어서 정리해 준다면, 학생들이 놀이의 종류에
  대해 대략적으로 파악할 수 있게 됩니다.
- 학생들이 탐구 주제인 놀이와 관계를 맺을 수 있도록 놀이에 대해 떠올린 다양한 경험 중에 좋아하는
  놀이를 찾아 정리하도록 합니다.

1. 놀이란 무엇인가요?

2. 놀이와 관련해서 무엇이 떠오르나요?

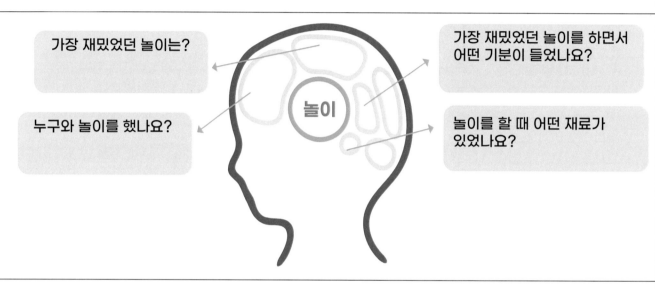

가장 재밌었던 놀이는?

가장 재밌었던 놀이를 하면서 어떤 기분이 들었나요?

놀이

누구와 놀이를 했나요?

놀이를 할 때 어떤 재료가 있었나요?

3. 어떤 놀이를 해봤나요? (놀이의 이름, 놀이 방법)

번호	놀이의 이름	놀이 방법	기타
1	술래잡기	술래가 다른 사람들을 잡는 놀이	사람 수의 제한이 없고, 술래를 여러 명으로 할 수 있다.
2			
3			

4. 내가 가장 좋아하는 놀이는 무엇인가요? (놀이의 이름과 방법 등 자세한 설명)

 **놀이의 고수를 찾아라**

내가 만들게 될 놀이의 목적을 알아보는 단계입니다. 내가 만들 놀이(누가, 어디서, 어떻게, 왜)에 대해 생각해 봅시다. 그리고 이 단계에서 세운 간단한 놀이 계획을 다음 단계에서 구체화합니다.

활동안내

1. 내가 만들 놀이(누가, 어디서, 어떻게 왜)에 대해 생각해 봅시다.
- 놀이의 이름은 놀이의 특징이 잘 드러나는 이름을 쓰도록 지도합니다.
  (기존에 알고 있는 놀이의 이름도 가능하고, 추후에도 수정이 가능하다고 알려줍니다.)
- 놀이의 이름을 잘 떠올리지 못하는 학생들은 지난 활동지를 보게 하거나 놀이의 여러 예시를
  알려줍니다.
- 놀이의 대상을 선정할 때는 학생 중에서도 어떤 학생들을 위한 놀이인지 구체적으로 설정할 수
  있도록 돕습니다.
- 놀이의 장소를 선정할 때는 야외, 실내 등 같은 놀이여도 장소에 따라 변형될 수 있다는 것을
  말해 줍니다.
- 같은 피구 놀이여도 장소에 따라 교실 피구, 체육관 피구 등으로 방법 및 사용하는 공 등이
  변형될 수 있다는 것을 말해 줍니다.
- 놀이의 구체적인 계획은 다음 단계에서 계획되어 있기에, 이번 시간에는 자세한 계획보다는
  전체적인 놀이의 흐름을 학생들이 스스로 정리하도록 합니다.
- 쓰기를 힘들어하는 학생의 경우에는 놀이의 방법을 말로 설명할 수 있도록 합니다.
- 학생들이 스스로 놀이를 만드는 이유에 대해 생각하도록 합니다. 그리고 교사는 그 이유에서
  공통적인 내용을 도출하여 '놀이의 목적은 즐겁기 위해서 하는 것이며 더 나아가서는 다양한
  친구들과 즐거운 경험을 같이 나누는 것'임을 정리합니다.
- 놀이의 목적에 대해 잘 떠올리지 못하는 학생들에게는 지난 단계의 '놀이의 뜻'과 '여러 가지
  놀이 공통점'에 대해서 생각하도록 합니다.

2단계 : 탐구 질문 만들기 / 놀이를 왜 만들어야 할까요? 놀이의 고수를 찾아라

1. 내가 만들고 싶은 놀이의 이름은 무엇인가요?

2. 누구에게 소개하고 싶나요? 그리고 그 이유는 무엇인가요?

3. 어디서 하는 놀이인가요?

4. 어떻게 하는 놀이인가요? (놀이의 방법을 간단하게 적기)

5. 놀이를 통해서 무엇을 배울 수 있을까요?

2학년 놀이의 고수를 찾아라

놀이 만들기와 평가하기 단계에서는 전 단계에서 간단하게 만들었던 놀이 계획을
구체화하고, 놀이를 어떻게 평가할지 계획을 세우고 그 결과에 따라 수정합니다.

활동안내

1. 놀이 만들기
- 놀이 만들기에서는 앞에서 세웠던 계획을 바탕으로 놀이 만들기 계획을 구체적으로 다시 세우도록
  합니다. 특히, 학생들에게 놀이의 방법과 규칙을 자세하게 쓸 수 있도록 안내합니다.
- 이 단계에서는 놀이의 변경이 가능하기 때문에 학생이 다른 놀이를 만들기를 원한다면 허용하도록
  합니다.

2. 놀이 평가하기
- 친구들이 스스로 만든 놀이를 평가하는 계획을 세우도록 합니다. 학생들이 스스로 평가 계획을
  세우지 못한다면 교사가 아래의 기준을 학생들에게 제시할 수 있습니다.

TIP > 놀이의 평가 기준
· 협동과 배려를 할 수 있는 놀이인가요?
· 우리 힘으로 놀이에 필요한 준비물을 만들거나 준비할 수 있는 놀이인가요?
· 주변에서 구하기 쉬운 재료를 활용할 수 있는 놀이인가요?
· 친구들이 이해하기 쉬운 규칙을 가진 놀이인가요?
· 친구들이 즐겁게 참여할 수 있는 놀이인가요?

- 평가의 결과를 바탕으로 놀이를 수정할 수 있도록 합니다.

1. 어떤 놀이인가요?

놀이 이름은?

몇 명이 하는 놀이인가요?

어디에서 하는 놀이인가요? (운동장, 체육관, 교실 등)

놀이 방법은?

놀이 규칙은?

2. 놀이를 어떻게 평가할 수 있을까요?

우리가 만든 놀이는 어떤 놀이인지 생각해 봅시다.	
1	(예, 아니오)
2	(예, 아니오)
3	(예, 아니오)
4	(예, 아니오)
5	(예, 아니오)

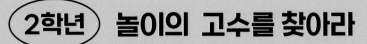

일정 세우기 단계에서는 학생들이 스스로 활동 계획의 일정을 정합니다.

활동안내

1. '놀이 만들기' 일정 정하기

앞에서 세운 놀이 만들기 계획의 순서를 정하도록 합니다. 학생마다 순서의 차이가 있을 수는
있으나, 아래의 내용이 다 들어갈 수 있도록 안내합니다.

TIP > 일정에 포함되어야 할 내용

· 놀이에 필요한 자료 만들기 및 준비하기
· 놀이하고 피드백 받아서 수정하기(여러 차시에 걸쳐서 가능)
· 놀이 체험하기
· 놀이 체험하고 반성하기

1. 놀이를 어떤 순서로 만들 수 있을까요?

나는 이렇게 활동할 계획이에요

나의 배움 주제와 목적에 따라 활동을 구체적으로 생각하고 계획하여 봅시다.

순서	활동 내용	활동 장소	준비물

놀이의 고수를 찾아라

완성된 놀이 만들기 계획을 실행에 옮기는 단계입니다. 놀이의 고수에서는 만든 놀이를 소개한 후 놀이 체험으로 이어지기 때문에 만든 놀이를 소개하는 자료도 함께 만들어야 하지요. 이 단계에서는 1) 놀이 소개 자료 만들기 2) 놀이 준비물 만들기 이 두 가지 활동이 이루어집니다.

활동안내

1. 놀이 소개자료 만들기
- 놀이 마당을 펼치기에 앞서 놀이 소개 자료를 만들게 됩니다. 계획을 실행에 옮기는 단계인 만큼 교사의 피드백이 중요합니다. 만들어진 소개 자료는 놀이의 고수 한 마당에서 놀이를 체험하기에 앞서 놀이를 설명할 때 활용되기 때문에 글이 많이 실릴 필요도, 완벽하게 만들 필요도 없습니다. 놀이가 어떻게 진행되며 규칙이 무엇인지가 명확하게 담겨야 하는 것이 목적이지요. 따라서 학생들이 소개 자료를 만들 때는 이와 같은 내용이 잘 담길 수 있도록 피드백을 해주는 것이 중요합니다.
- 시간을 여유롭게 확보하여 놀이 소개 자료 제작 후 피드백을 주고받아 수정할 시간을 주면 학생들도 만든 놀이에 대해 더 잘 이해할 수 있는 시간이 될 수 있습니다.

2. 놀이 준비물 만들기
- 하루 만에 놀이 준비물을 제작하게 하면 학생들에게 부담이 됩니다. 놀이 소개 자료 만들기 후 상호 피드백을 통해 놀이가 수정될 수도 있으니 여유를 가지고 제작할 필요가 있습니다. 또한 놀이 준비물을 제작할 때는 학교에 버려진 종이상자를 활용하게 하면 환경보호도 되고 준비물을 따로 살 필요가 없어 일석이조가 됩니다.

탐구질문

1. 소개 자료를 만들 때 할 수 있는 질문
- 무엇인가를 소개하는 자료를 본 경험이 있나요?
- 소개하는 자료가 어떻게 생기면 더 흥미가 생기나요?
- 소개하는 자료에 꼭 들어가야 하는 내용은 무엇일까요?
- 친구들이 소개하는 자료를 보았을 때 무엇을 꼭 이해하였으면 좋겠나요?
- 소개하는 자류에 무엇이 들어가면 친구들이 놀이를 잘 이해할 수 있을까요?

2. 놀이에 필요한 준비물을 만들 때 할 수 있는 질문
- 준비물을 만들 때 역할을 어떻게 나누면 좋을까요?
- 준비물은 친구들과 힘을 합쳐 직접 만들 수 있는 것인가요?

4단계 : 탐구 실행하기 / 나만의 놀이를 만들어 볼까요? **놀이의 고수를 찾아라**

1. 놀이를 소개할 때 무엇을 활용할까요? (동영상, 그림, 포스터 등)

2. 놀이 소개 자료에는 어떤 내용이 들어가야 할까요?

3. 놀이 소개 자료와 준비물을 잘 만들기 위해서 어떻게 역할을 나눠야 할까요?

순서	모둠원	역할	준비물

4. 놀이를 할 때 필요한 준비물을 만들어 봅시다.

*놀이 소개 자료를 다 만들었다면 이제 실제 놀이를 할 때 필요한 준비물을 만들어 봅시다.

놀이의 고수를 찾아라

만든 놀이 소개 자료를 활용하여 놀이를 발표하는 단계입니다. 서로가 만든 놀이에 대한 발표를 들으면서 궁금한 점을 물어보기도 하고 피드백을 주고받으면서 놀이 소개 자료를 수정하며 놀이 부스 운영 전 최종적으로 준비합니다.

활동안내

1. 발표를 듣는 자세 약속하기
- 모둠별로 제작한 자료에 대해서 발표를 들을 때는 손이 놀지 않도록 합니다. 학생들이 발표를 듣기만 하면 소리는 휘발성이 있어서 날아가 버리기 때문에 제대로 듣지 않고 장난치는 모습을 볼 수 있을 것입니다. 그렇기 때문에 이 놀이가 실제로 가능할 것인가 등으로 학생들이 서로가 만든 놀이에 대한 소개를 들으면서 평가할 수 있도록 도와주세요. 물론 이 평가는 더 재밌는 놀이가 만들어질 수 있도록 돕기 위한 것이다라고 이야기해 주시면 더욱 좋습니다.
- 학생들의 듣는 자세 예) 좋은 점 생각하며 듣기, 보충할 점 떠올리기, 끝까지 듣고 질문하기 등이 될 수 있습니다.

2. 놀이 평가하기 (피드백 주기)
- 피드백을 제공하는 주체는 주로 교사였을 것입니다. 하지만 친구들끼리 서로 좋은 피드백을 주고받으면서 성장하게 하는 것은 소속감과 자존감을 기르는 일이기도 합니다. 하지만 학생들끼리 서로 피드백을 주고받기란 어려운 일입니다. 특히 저학년 학생들에게는 더더욱이요. 그렇기 때문에 교사가 먼저 시범으로 보여줍니다. '어떤 점이 잘 되었다.', '이런 점은 보충하면 더욱 도움이 될 것 같다.'라는 말본을 제공하면 더욱 좋습니다. 이때 주의해야 할 점은 학생들끼리 주고받는 피드백에는 '못했다'라는 표현은 사용하지 않도록 합니다. 피드백의 목적이 놀이를 설명하는 자료를 더 잘 만들도록 돕는 것, 놀이 진행이 매끄러울 수 있도록 돕는 것이라는 것을 생각할 수 있도록 해주세요.
- 학생들끼리 상호 피드백을 주고받을 때는 주로 질문을 주고받을 수 있도록 합니다. 학생들이 질문했던 것을 모아 보았습니다. 아래 질문을 참고하셔서 교사가 직접 질문해도 좋고, 아이들에게 질문의 예를 보여주셔도 좋습니다.

TIP › 2학년 학생의 질문(피드백) 사례

1. 이 놀이를 하면 우리에게 어떤 도움이 되나요?
2. 친구들이 여러 번 놀이를 하면 종이로 만든 ○○(준비물 이름)이 부서지지 않을까요?
3. 00 놀이를 할 때 이기고 지고를 따지면 친구들이 너무 경쟁할 것 같은데 다른 규칙으로 바꾸면 어떨까요?
4. 00 놀이할 때 상품을 주면 좀 더 잘 참가할 것 같은데요?
5. 놀이할 때 사람들이 너무 많이 몰리면 어떻게 할 것인가요?

1. 친구들이 만든 놀이를 발표할 때 어떻게 들으면 좋을까요?

2. 발표를 들으며 놀이를 평가해 봅시다.

순서	놀이 이름	놀이가 재밌을까요?	놀이가 잘 운영될까요?	놀이 고수가 될 수 있는 놀이인가요?	발표를 듣고 하고 싶은 말
1					
2					
3					
4					
5					
6					

3. 선생님의 피드백

놀이의 고수를 찾아라

놀이 부스를 운영하기도 하고 놀이를 체험하는 단계입니다. 부스 운영을 통해 자존감을 기르기도 하고 놀이 체험을 통해 수업에 흥미도 느끼면서 '놀이의 고수'로 성장하는 단계입니다.

활동안내

1. 놀이의 고수 한마당 참여 약속하기

- 놀이 부스를 운영하고 체험하는 과정에서 놀이의 고수로 한 단계 성장할 수 있도록 스스로 약속을 정해 참여하게 도와줍니다.
- 재미있게 놀이를 하는 것도 중요하지만 놀이 한마당의 목표가 배움의 즐거움을 느끼는 것이라는 것을 잊지 말아야 합니다. 놀이 한마당 행사 시 갈등이나 안전사고가 발생할 수 있습니다. 그렇기 때문에 놀이하기 전 자신의 다짐이나 우리 반의 약속을 만드는 것이 좋습니다.

TIP 〉 '나의 다짐' 활동 시 활용할 수 있는 교사의 발문

1. 우리 놀이를 체험한 친구들이 어떤 얼굴을 하고 돌아가면 좋겠나요?
2. 놀이를 할 때와 부스를 운영할 때로 나누어 생각해 볼까요?

TIP 〉 '우리의 약속' 활동 시 활용할 수 있는 교사의 발문

1. 놀이 한마당을 할 때 어떤 문제가 생길 수 있을까요?
2. 우리반 친구들이 재미있고 성장할 수 있는 놀이 한마당을 위해 지켜야 할 것은 무엇인가요?
3. 놀이의 고수가 되기 위해서 놀이 한마당을 운영할 때 주의해야 할 점에는 어떤 것이 있을까요?

---

2. 놀이의 고수 한마당 참여하기

- 쿠폰은 다양한 방식으로 만들 수 있습니다. 학생들이 직접 만든 것을 사용해도 좋고 워크북에 있는 것을 사용해도 좋습니다. 쿠폰은 학생들에게 전부 나눠주고 놀이 한마당을 운영하는 학생들이 놀이 약속을 지키며 잘 참여한 학생들에게 상호평가의 개념으로 스티커를 붙여줍니다. 물론 스티커 뿐만 아니라 도장을 찍어줄 수도 있습니다.

1. 놀이의 고수 한마당에 참여하는 나의 다짐과 우리의 약속을 써 봅시다.

가. 나의 다짐 :

나. 우리의 약속 :

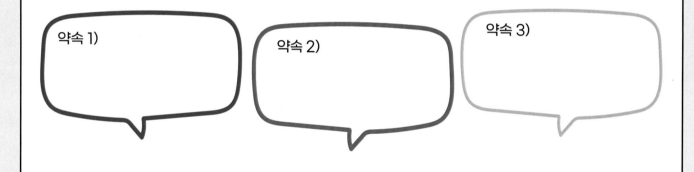

약속 1)

약속 2)

약속 3)

2. 아래 쿠폰을 잘라 놀이의 고수 한마당을 할 때 활용해 봅시다.

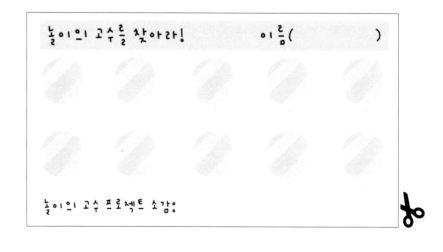

놀이의 고수를 찾아라!　　　이름(　　　　　)

놀이의 고수 프로젝트 소감:

놀이의 고수를 찾아라

놀이의 고수 한마당을 마친 후 전체 활동을 되돌아보는 시간입니다. 이제까지의 활동을 되새겨 보면서 성장 과정을 되돌아보는 단계입니다.

활동안내

1. 활동 소감 작성하기

2학년 학생들에게 "소감을 써 봅시다."라고 빈 종이를 주기만 하면 사실 제대로 된 소감문이 나오기 어렵습니다. 10살짜리 학생들에게 빈 종이를 채우기란 가혹한 일이니까요. 이때 교사는 소감을 잘 쓸 수 있도록 경험을 다시 떠올리게 도와줍니다. 이제까지 놀이의 고수 프로젝트가 어떻게 흘러갔는지 칠판에 생각그물을 그리셔도 좋고, 스토리텔링식으로 이제까지의 활동을 되돌아봐도 좋습니다. 있었던 일을 순서대로 적는 것도 좋지만 경험 하나를 정해서 자세하게 적어보는 것도 추천합니다. 또한 일기 쓰는 방법을 떠올려 그 때 본 것, 들은 것, 느낀 점을 합쳐서 적게 하면 풍부한 소감문을 쓸 수 있습니다.

탐구질문

1. 우리가 '놀이의 고수를 찾아라' 를 어떻게 시작하게 되었을까요?
2. '놀이의 고수를 찾아라'를 하면서 내가 성장한 부분이 있다면 무엇인가요?
3. '놀이의 고수를 찾아라'를 진행하는 동안 어려웠거나 앞으로 좀 더 노력해야 할 점이 있었다면 무엇인가요?
4. '놀이의 고수를 찾아라'를 한 단어로 표현하자면?
5. 앞으로 또 만들거나 해보고 싶은 활동이 있나요?

1. 놀이의 고수를 찾아라 프로젝트에서 무엇을 했나요?

있었던 일   어려웠던 점

**놀이의
고수를
찾아라**

알 수 있게 된 것   더 해보고 싶은 것

2. 스스로의 활동을 평가해 봅시다.

구분	성실하게 잘 참여했어요	잘할 때도 있고, 아닌 때도 있었어요	노력이 부족해서 아쉬움이 남아요
놀이마당 준비할 때 협동하며 참여했나요?			
놀이 방법을 친절하게 설명했나요?			
놀이 활동 시 규칙과 질서를 잘 지켰나요?			
놀이 후 뒷정리를 깨끗하게 했나요?			

3. 놀이의 고수 한마당에 참여한 나의 소감을 써 봅시다.

MEMO

1학년
나도 전문가

**1학년 국어, 수학, 통합교과를 공부하고 나서
배운 것을 활용하여 새로운 것을 만들어 봅니다.**

참고자료

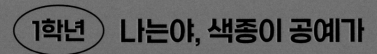

우리는 색종이 접기를 통해 우리 머릿속에 떠오르는 많은 것들을 표현할 수 있습니다.
여러분은 색종이로 무엇을 접고 싶나요?

활동안내

1. 마인드맵을 그려 보기
제시된 키워드를 보고 떠오르는 것을 마인드맵으로 자유롭게 그려 봅니다.

2. 내가 색종이로 접고 싶은 것을 쓰기
제시된 키워드를 보고 떠오르는 것들을 썼다면, 그중 색종이로 접고 싶은 것을 골라 써 봅니다.

3. 내가 색종이로 접을 수 있는 것에 ○로 표시 하기
내가 색종이로 접고 싶은 것을 썼다면, 그중 내가 접을 수 있는 것을 찾아봅니다.

4. 내가 색종이로 접을 것에 ☆로 표시하기
내가 색종이로 접을 수 있는 것을 찾았다면, 그중에서 내가 실제로 접을 것을 찾아 선택합니다.

5. ☆한 것을 접어 보기
내가 색종이로 접을 것을 선택했다면 스스로 접어 봅니다. 접는 방법은 컴퓨터, 태블릿PC 등을
활용하여 검색할 수 있습니다.

TIP 〉
저학년의 주제 선정은 교사가 제시하는 것에서부터 시작합니다. 교사는 학생들이 주제 선정에
쉽게 접근할 수 있도록 수업 시간에 다루었던 것을 키워드로 제시합니다.

1. 마인드맵을 그려 보세요

(예)
봄

2. 1에서 내가 색종이로 접고 싶은 것을 쓰세요.

3. 2 중에서 내가 색종이로 접을 수 있는 것에 ○를 하세요.

4. 3 중에서 내가 색종이로 접을 것에 ☆를 하세요.

5. ☆한 것을 접어 보세요.

국어 시간에 배운 자음과 모음으로 포장지를 디자인하여 한글 포장지 전시회에 참여합니다.
내가 디자인한 한글 포장지로 무엇을 포장하고 싶나요?

활동안내

1. 자음 쓰기
1학년 국어 시간에 가장 먼저 배우는 것은 한글 자음입니다. 수업 시간에 배운 자음을 획순에 맞게
바른 글씨로 써 봅니다.

2. 모음 쓰기
한글 자음을 학습하고 나면 모음을 배우게 됩니다. 수업 시간에 배운 모음을 획순에 맞게 바른
글씨로 써 봅니다.

3. 자음과 모음으로 포장지를 디자인하기
한글 자음과 모음으로 포장지를 다양한 필기구(색연필, 사인펜, 크레파스 등)를 활용하여 디자인해
봅니다.

4. 하얀 포장지에 내가 만든 한글 디자인을 그려 넣기
하얀 포장지에 내가 만든 한글 디자인을 그려 넣으며 한글 포장지를 완성합니다.

5. 내가 디자인한 한글 포장지로 포장하고 싶은 물건 쓰기
내가 디자인한 포장지로 포장하고 싶은 물건들을 떠올려 자유롭게 써 봅니다.

6. 내가 디자인한 한글 포장지로 물건을 포장하여 한글 포장지 전시회 참여하기
내가 디자인한 포장지로 물건을 포장하여 학급 한글 포장지 전시회에 참여합니다.

TIP ›
한글 포장지 전시회에 나의 작품을 전시하고, 친구들의 작품을 감상하며
한글의 아름다움을 느껴봅니다.

1. 자음을 쓰세요.

2. 모음을 쓰세요.

3. 자음과 모음으로 포장지를 디자인해 보세요.

4. 하얀 포장지에 내가 만든 한글 디자인을 그려 넣어 보세요.

5. 내가 디자인한 한글 포장지로 포장하고 싶은 것을 쓰세요.

6. 내가 디자인한 한글 포장지로 물건을 포장하여 한글 포장지 전시회에 참여해요.

1학년 나는야, 숫자 놀이 기획자

여러분은 숫자 놀이 기획자입니다. 1~10까지의 수로 숫자 놀이를 만들어 봅시다. 이때, 다양한 도구를 활용할 수도 있습니다. 숫자 놀이를 만든 후에는 숫자 놀이 축제를 열어 친구들과 해 봅니다. 숫자로 어떤 놀이를 만들 수 있을까요?

활동안내

1. 바둑돌 10개로 놀이 만들기
우리 주변에서 쉽게 볼 수 있는 바둑돌로 놀이를 만들어 봅니다. 이때, 바둑돌의 색깔을 활용하여 놀이를 만들 수도 있습니다.

2. 종이컵 10개로 놀이 만들기
우리 주변에서 쉽게 볼 수 있는 종이컵으로 놀이를 만들어 봅니다. 이때, 종이컵의 종류를 달리하여 놀이를 만들 수도 있습니다.

3. 1~10의 숫자로 놀이 만들기
우리가 배운 1~10의 숫자로 놀이를 만들어 봅니다. 이때, 숫자를 읽고 쓰는 방법을 활용하여 놀이를 만들 수도 있습니다.

4. 숫자 놀이 축제를 열어 친구들이 만든 숫자 놀이하기
나와 친구들이 만든 숫자 놀이로 숫자 놀이 축제를 열어 봅니다. 원하는 놀이를 선택하여 참여하며 수학의 재미를 느껴 봅니다.

TIP >
숫자 놀이를 만들며 수학의 재미를 느껴 봅시다.

1. 바둑돌 10개로 어떤 놀이를 만들 수 있을까요?

예) 10개의 바둑돌 중 몇 개의 바둑돌을 잡는다. 이 때, 내가 몇 개의 바둑돌을 쥐고 있는지 친구들에게 보여주지 않는다. 친구들은 내가 쥐고 있는 바둑돌의 개수를 맞추어 본다.

2. 종이컵 10개로 어떤 놀이를 만들 수 있을까요?

예) 종이컵 10개로 주어진 시간 안에 입김을 불어서 종이컵을 가장 많이 쓸어뜨리는 놀이를 한다.

3. 1~10의 숫자로 어떤 놀이를 할 수 있을까요?

예) 숫자는 1부터 한 사람에 세 개씩 말할 수 있다. 마지막 10을 말하는 친구가 지는 놀이를 한다.

4. 숫자 놀이 축제를 열어 친구들이 만든 숫자 놀이를 함께 해요.

1학년 나는야, 우리나라 알림이

여러분은 우리나라 알림이가 되어 외국인 친구에게 우리나라를 소개합니다. 우리나라를 대표하는 것에는 무엇이 있을까요? 어떤 방법으로 우리나라를 소개할 수 있을까요?

활동안내

1. 마인드맵 그리기
우리나라를 키워드로 하여 머릿속에 떠오르는 것을 자유롭게 마인드맵으로 그려 봅니다.

2. 1에서 우리나라를 대표하는 것 찾아 쓰기
내가 그린 마인드맵에서 우리나라를 대표할 수 있는 것을 찾아 써 봅니다.

3. 2에서 외국인 친구에게 소개하고 싶은 1가지 이상 골라 쓰기
외국인 친구에게 우리나라를 소개해야 한다면 소개하고 싶은 것들을 골라 써 봅니다.

4. 3을 어떤 방법으로 소개할지 이야기하기
어떤 방법으로 우리나라를 소개하면 좋을지 생각하여 이야기해 봅니다.

5. 우리나라를 소개하는 자료 만들기
4에서 이야기한 것을 바탕으로 우리나라를 소개하는 자료를 만들어 봅니다.

6. 친구들 앞에서 우리나라를 소개하기
친구들의 우리나라 소개를 들으며 잘한 점을 찾아 칭찬해 봅니다.

TIP 〉

우리나라를 소개하는 자료를 만들고, 친구들 앞에서 우리나라를 소개하며 우리나라에 대한 자긍심과 애국심을 가집니다.

1. 마인드맵을 그려 보세요.

2. 1에서 우리나라를 대표하는 것을 찾아 쓰세요.

3. 2에서 외국인 친구에게 소개하고 싶은 1가지 이상 골라 쓰세요.

4. 3을 어떤 방법으로 소개할지 이야기해 보세요. 예) 그림, 노래, 이야기 등

5. 우리나라를 소개하는 자료를 만들어 보세요.

6. 친구들 앞에서 우리나라를 소개해 보세요.

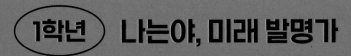

1학년 나는야, 미래 발명가

옛날 사람들은 어떻게 추운 겨울을 이겨냈을까요? 오늘날 사람들은 추위를 어떻게 이겨내고 있나요? 미래의 사람들은 어떤 방법으로 추위를 이겨낼까요?

활동안내

1. 표를 완성하기
옛날 사람들과 오늘날 사람들이 추위를 이기는 방법을 생각해 보고 표를 완성해 봅니다.
이때, 내용은 글로 쓰거나 그림으로 표현할 수 있습니다.

2. 미래 사람들의 겨울 생활용품을 생각하여 보고, 표를 완성하기
미래 사람들은 어떤 방법으로 추위를 이길지 생각하여 자유롭게 표현해 봅니다.

3. 미래 사람들의 겨울 생활용품을 만들기 위한 준비물을 쓰기
미래 사람들의 겨울 생활용품을 만들기 위한 준비물을 생각해서 써 봅니다.
이때, 실제로 사용할 생활용품이 아닌 모형만을 만들 수 있습니다.

4. 미래 사람들의 겨울 생활용품을 만들기
쓸모를 생각하며 친구들 앞에서 발표할 미래 사람들의 겨울 생활용품을 만들어 봅니다.

5. 내가 만든 미래 사람들의 겨울 생활용품을 발표하기
친구들의 발표를 들으며 칭찬할 점을 찾아봅니다.

TIP ›
발전된 미래의 모습을 상상해 보고, 미래 사람들의 겨울 생활용품을 생각하여 만들어 친구들 앞에서 발표해 봅니다.

1. 표를 완성해 보세요.

옛날 사람들의 겨울 생활용품	오늘날 사람들의 겨울 생활용품

2. 미래 사람들의 겨울 생활용품을 생각하여 보고, 표를 완성해 보세요.

미래 사람들의 겨울 생활용품
(그림)
(설명)

3. 미래 사람들의 겨울 생활용품을 만들기 위한 준비물을 쓰세요.

4. 미래 사람들의 겨울 생활용품을 만들어 보세요.

5. 내가 만든 미래 사람들의 겨울 생활용품을 발표해 보세요.

1학년 나는야, 멋진 요리사

우리는 맛있는 음식을 먹을 때 행복합니다. 우리가 좋아하는 음식을 머릿속에 떠올려 볼까요?
기분이 좋아지면서 행복한 기분이 듭니다. 요리사가 되어 내가 좋아하는 음식을 클레이로
멋지게 만들어 볼까요?

활동안내

1. 마인드맵을 그려 보기
제시된 키워드를 보고 떠오르는 것을 마인드맵으로 자유롭게 그려 봅니다.

2. 내가 좋아하는 음식을 쓰기
제시된 키워드를 보고 연관된 주제들을 떠올려 좋아하는 음식의 이름을 써 봅니다.

3. 내가 좋아하는 음식 중에서 클레이로 만들어 보고 싶은 음식에 ○로 표시하기
내가 클레이로 직접 만들어 보고 싶은 음식을 찾아봅니다.

4. 내가 클레이로 잘 만들 수 있는 음식을 찾아 ☆로 표시하기
내가 만들어 보고 싶은 음식을 찾았다면, 그 음식을 선택한 이유, 누구에게 맛있게 대접하고
싶은지 생각해 봅니다.

5. ☆한 것 예쁘게 만들기
내가 만들고 싶은 음식을 선택했다면 음식 사진을 보면서 그 음식과 똑같이 만들어 봅니다.
컴퓨터, 태블릿PC 등을 활용하여 음식 사진을 검색할 수 있습니다.

TIP >
저학년의 주제 선정은 학생 삶 가장 가까이에 있는 주제부터 선정합니다.
교사는 학생들이 주제 선정에 쉽게 접근할 수 있도록 생활 속에 있는 키워드로 제시합니다.

1. 마인드맵을 그려 보세요.

2. 1.에서 내가 좋아하는 음식의 이름을 써 보세요.

3. 2. 중에서 내가 좋아하는 음식에 ○를 하세요.

4. 3. 중에서 내가 좋아하는 음식 중에서 클레이로 만들어 보고 싶은 음식에 ☆를 하세요.

5. ☆한 것을 진짜 음식처럼 예쁘게 만들어 보세요.

1학년 나는야, 놀이 연구가

우리는 집이나 학교에서 재미있는 놀이를 할 때가 제일 신나고 즐겁습니다. 친구들이 제일 좋아하는 놀이는 무엇일까요? 놀이의 종류와 방법을 찾아서 재미있게 놀아볼까요?

활동안내

1. 집이나 학교에서 하는 놀이 떠올리기
내가 생각한 놀이의 이름을 글이나 그림으로 표현해 봅니다.

2. 내가 하는 놀이 방법 생각하기
언제, 어디에서, 누구와, 어떻게 하는 놀이하는지 생각해 봅니다.

3. 놀이의 방법을 그림이나 글로 자세하게 나타내기
놀이 방법을 차례로 그림이나 글로 자세하게 나타내어 봅니다.

4. 놀이 방법을 친구에게 설명하기
친구에게 놀이 방법을 자세하게 설명하고 친구가 놀이 방법을 익히도록 합니다.

5. 친구와 재미있게 놀이하기
놀이에 필요한 여러 준비물을 준비하여 친구가 설명해 준 놀이를 직접 해 봅니다.

6. 놀이 방법 변형하여 새로운 놀이 만들기
놀이의 방법을 변형하여 새로운 놀이를 구상해 봅니다.

TIP >
내가 좋아하는 놀이를 친구에게 소개하여 친구들이 그 놀이를 익힐 수 있게 합니다.
놀이 방법을 자세하게 소개하는 과정에서 말하기 능력을 향상시키고 또한 놀이의 즐거움을 느껴봅니다.

1. 내가 재미있게 하는 놀이를 떠올려 글이나 그림으로 표현해 보세요.

2. 언제, 누구와 어디에서 어떻게 글과 그림으로 나타내어 보세요.

3. 놀이의 방법을 순서대로 그림이나 기호로 표현해 보세요.

4. 3의 놀이를 하는 방법을 친구에게 설명해 보세요.

5. 4의 놀이를 친구와 재미있게 해보세요

6. 5의 놀이를 변형하여 새로운 놀이를 만들어 보세요.

1학년 나는야, 바닷속 탐험가

여러분은 지금부터 바닷속 탐험가입니다. 바닷속에는 어떤 생물들이 살고 있는지 찾아봅시다.
바다에서 볼 수 있는 생물을 색종이로 만들어 멋진 색종이 바다 나라를 꾸며 볼까요?

활동안내

1. 마인드맵 그리기
제시된 키워드를 보고 떠오르는 것을 마인드맵으로 자유롭게 그려 봅니다.

2. 바다에 살고 있는 생물 이름 쓰기
바닷속 생물의 이름을 떠올려 마인드맵에 써 봅니다.

3. 바다 생물 중 내가 색종이로 접고 싶은 것에 ○로 표시하기
내가 색종이로 접고 싶은 것을 써 보았다면, 그중 내가 실제로 접을 수 있는 것을 찾아봅니다.

4. 내가 색종이로 접을 수 있는 것에 ☆로 표시하기
내가 색종이로 접을 수 있는 것을 찾았다면, 그중에서 내가 실제로 접을 주제를 찾아 선택합니다.

5. ☆한 것을 접어 바닷속 세상 꾸미기
내가 색종이로 접을 주제를 선택했다면 스스로 접어 봅니다. 접는 방법은 컴퓨터, 태블릿PC 등을
활용하여 검색할 수 있습니다.

TIP >
바다에 살고 있는 생물에 대해 알아보고 자신이 좋아하는 색깔의 색종이로
바다 생물을 만들어 멋진 바닷속 세상을 꾸며 봅니다.

1. 마인드맵을 그려 보세요.

2. 바다에 살고 있는 생물의 이름을 써 보세요.

3. 바다 생물 중 내가 색종이로 접고 싶은 것에 ○를 하세요.

4. 내가 색종이로 접을 수 있는 것에 ☆를 하세요.

5. ☆한 것을 색종이로 예쁘게 접어 바닷속 세상을 꾸며 보세요.

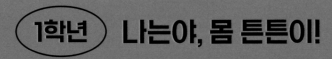

몸 튼튼 마음 튼튼! 우리는 몸이 건강해야 우리가 하고 싶은 일을 즐겁게 할 수 있습니다.
우리의 몸을 튼튼하게 하려면 어떻게 하면 될까요?

활동안내

1. 운동 생각하기
나의 몸을 건강하고 튼튼하게 할 수 있는 운동에 대해 떠오르는 생각을 자유롭게 써 봅니다.

2. 실천할 수 있는 운동을 정하기
여러 가지 운동 중에서 건강하고 튼튼한 몸을 위해 내가 꾸준히 할 수 있는 운동을 한 가지
정해 봅니다.

3. 운동 방법 설명하기
내가 정한 운동을 할 때 어떻게 해야 하는지 운동 방법을 설명해 봅니다.

4. 운동 계획 세우기
내가 정한 운동을 꾸준히 할 수 있도록 실천 계획을 세워봅니다.

5. 운동 기록하기
내가 매일 꾸준히 하기로 한 운동에 대해 어떻게 하면 몸을 건강하게 할 수 있을지 생각하며
일정 기간 꾸준히 하고 결과를 기록합니다.

TIP 〉
저학년의 경우 여러 가지 운동을 각자 실천하는 것보다는 학급에서 한 가지 운동을 정하여
함께 하면서 익숙해지면 스스로 할 수 있도록 하여 각자의 체력을 키우도록 합니다.

1. 나의 몸을 건강하고 튼튼하게 할 수 있는 운동을 생각해봅시다.

2. 내가 꾸준히 할 수 있는 운동을 한 가지 정해 보세요.

3. 내가 정한 운동을 하는 방법에 대해 설명해 보세요.

4. 내가 정한 운동 계획을 세워 보세요.

5. 내가 정한 운동을 꾸준히 하고 결과를 기록해 보세요.

1학년 나는야, 동시 암송 왕!

글 속에서 말의 재미를 솔솔, 흉내 내는 말을 찾아서 떠나봅시다. 어디로 가면 찾을 수 있을까요? 동시집에서 흉내 내는 말을 찾아볼까요?

활동안내

동시집에서 읽고 싶은 동시를 찾고 암송해 볼까요?

1. 동시 제목 읽기

동시집의 차례를 보고, 동시 제목을 읽어 봅니다.

2. 읽고 싶은 동시 찾기

동시 제목을 보고 읽고 싶은 동시를 찾고, 그 이유를 말해 봅니다.

3. 동시를 소리 내어 읽기

2에서 찾은 동시를 천천히 소리 내어 읽기를 반복합니다.

4. 동시 쓰기

3에서 읽은 시를 바른 글씨로 써 봅니다.

5. 동시 암송하기

4에서 쓴 동시를 외워서 친구들 앞에서 발표해 봅니다.

TIP >

초등학생이 읽을 동시집에서 여러 편의 좋은 동시들을 반복하여 읽고 쓰기 하여 말의 아름다움과 동시의 느낌을 직접 체험해 봅니다.

1. 동시집의 차례를 보고, 동시 제목을 읽어 봅니다.

2. 읽고 싶은 동시를 찾아 제목에 O를 합니다.

3. 2에서 고른 동시를 소리 내어 읽어 봅니다.

4. 3에서 읽은 동시를 써 봅니다.

5. 동시를 암송해 봅시다.

2022 개정 교육과정을 담은
학교 자율시간 수업 이야기

발 행 | 2024년 1월 31일

저 자 | 김금순, 강연주, 권은주, 김세림, 김아람, 마경연, 박영진, 송주영,
신민수, 신점순, 안창남, 정동희, 조승우, 진소라

펴낸이 | 한건희

펴낸곳 | 주식회사 부크크

출판등록 | 2014.07.15.(제2014-16호)

주 소 | 서울시 금천구 가산디지털1로 119, SK트윈타워 A동 305호

전 화 | 1670-8316

이메일 | info@bookk.co.kr

ISBN | 979-11-410-6981-0

www.bookk.co.kr

2022 개정 교육과정을 담은

학교 자율시간
수업 이야기

대구교육대학교안동부설초등학교 교사